JN012226

14歳の
WORLDLY WISDOM FOR 14 YEARS OLD
世渡り術

友だち関係で悩んだときに役立つ本を紹介します。

河出書房新社

友だち関係で悩んだときに役立つ本を紹介します。

もくじ

I

息苦しい関係から自由になる

II

友だち関係、こんなとき、どうする？

III

人間関係の「そもそも」を考えてみる

I

息苦しい関係から自由になる

溶(と)ける読書

作家
金原ひとみ

『ジャクソンひとり』
安堂ホセ
河出書房新社

大人になると、友達関係で悩(なや)むことはほとんどなくなります。むしろ大人にとっては、友達がいない、できないことの方が悩みになったりします。

今はＳＮＳやインターネットが発達しているので、遠くの人とも話ができたり、これまで繋(つな)がることができなかった人とも簡単に繋がれます。あなたがコミュニケーション好き、人好きなら、いくらでも友達を増やすことができるでしょう。ですがそうでない場合、無理をして人間関係を広げる必要はありません。もちろん、人は一人では生きていけません。逃れられないしがらみもあります。ですが全ての人に、誰と関係を持つか、その人と関係を継続するかしないか、常に選択する権利があるということを、覚えていてほしいです。

仲が良かった友達でも、環境が変化することで、距離が離れていくのもよくあることです。学校が替わった、社会人になった、子供ができた、結婚をした、引っ越しをした、等々の理由で距離のみならず、心が離れることもあります。その時は寂しく思っても、今の自分に必要のないものが、自然に離れていっていることがほとんどです。

かくいう私も、自分から気軽に連絡する友達は常に二、三人で、仲良くなった友達が人生からフェードアウトすることもしょっちゅうです。ですが、意外に孤独だと感じることはありません。こう言うとギョッとされるかもしれませんが、私は自分の中に複数の人格を持っていて、つねにたくさんの人々に囲まれて生きているのです。その人々、というのはこれまで読んできた、あらゆる小説のキャラクターたちです。

例えば、『カラマーゾフの兄弟』（ドストエフスキー）という小説には、アリョーシャ、イワン、ドミートリイ、異母兄弟のスメルジャコフ、という四人の兄弟が登場します。それぞれが個性的で、主義主張が全く違います。彼らが事件や運命に直面し、人殺し、貧困といった問題に対して、それぞれの意見を戦わせていく物語です。

　この小説を読み終えた時、私は自分の中に、この四人兄弟だけではなく、フョードルという四人兄弟の父、そしてカチェリーナというドミートリイの婚約者など、さまざまなキャラクターが息づいたのを感じました。そしてそれ以来、人生のあらゆる節目で、そのキャラたちに相談したり、あんただったらこう言うよね、と確認を取ったり、自分が直面しているテーマについて、例えばイワンとドミートリイに議論してもらったり、ということを繰り返してきました。

　彼らは、決して自分に都合のいいことを言ってくれる人、ではありません。自分の偽善や矛盾、怠惰さを糾弾されることもあります。つまり、小説は友達とは言わずとも、自分がどれだけ愚かな人間であったとしても人生を共に歩んでくれるパートナーを与えてくれるのです。しかも、私たちはあらゆるキャラクターをストックし、ああの人に話を聞きたいなと思った時に、その人に出てきてもらって話を聞くこともできるのです。

友達は財産だ、という言葉をよく聞きますが、私にとって現実の友達は移ろいゆくもの、私の財産は自分が読んできた小説の（愛おしい）（恐ろしい）（耐え難い）（凄まじい）（憎たらしい）（全然好きになれない）（憧れる）キャラクターたちです。

『カラマーゾフの兄弟』は、特に上巻がダルく、ダルい時は永遠かと思うほど長く、中巻まで読むと一気に引き込まれてグングン面白くなっていくのですが、かなりの集中力と時間を必要とするので、読書玄人向けです。そこで、もう少し読みやすく、素敵なキャラクターが描かれている小説をいくつか紹介したいと思います。

『コインロッカーベイビーズ』（村上龍）。この小説にはキクとハシとアネモネという魅力的な三人が登場します。やんちゃなキク、内向的なハシ、ぶっ飛んでるアネモネ。私はこの小説を十四歳の頃に読みましたが、読んでから数年間にわたって、この三人と一緒に暮らしている気分で生きていました。

『恋の幽霊』（町屋良平）は、少し変わった四人組の話です。友情なのか愛情なのか分からない、とにかく一人一人が三人それぞれに惹かれ、大好きで、少しずつ歯車が狂っていってしまう関係を描いています。読みながらこんな感情が存在する世界に生まれたことを恨み、同時に祝福もしました。そして読み終えた時、四人それぞれのキャラクターではなく、四人が一つに混ざっているようなキャラクターが自分の中に芽生えたのを感じました。

人と人とが混ざっている、という点では、『長い一日』（滝口悠生）という小説も近いところがあります。この小説は不思議な形を取っていて、あれさっきまでは滝口だったけど、今は滝口の奥さん、あれ今は窓目くん？　と視点人物が次々入れ替わっていきます。穏やかな物語ですが、人は自分を取り囲む人々と少しずつ溶け合いながら自分自身を形作っているのだということに気づかせてくれる小説です。窓目くんはお気に入りの人格で、私はよく脳内で世間話をしています。

『ジャクソンひとり』（安堂ホセ）という小説には、四人のブラックミックスの男性が登場します。とある盗撮映像から始まった穏やかではない四人の関係は、最初は仲良くなっていく友人関係のように見えますが、日本人には自分たちが見分けられない、という点を利用して、四人は人を、世間を欺いていくのです。スリリングかつ、疾走感のあるストーリー運びに夢中になって読んでいくうち、四人が混ざり合っていくのと同時に自分自身も溶けだしぐちゃぐちゃに掻き乱されていくような混乱と興奮が生じ、こんな体験したことない！　という高揚の中で本を閉じました。この小説によって自分の中に息づいたキャラクターはアメーバのようで、この顔を見せたかと思えば、一瞬の後には少し違う顔をしていたり、あらゆるものが入り混じった人格です。意地悪で、ミステリアスで、摑みどころがなくて、分かったと思った瞬間には裏切られる、こんな魅力的なキャラクターが自分の中に息づいたことが嬉しくて仕方ありませんでした。

この小説は、私たちがあらゆるものから影響を受け少しずつ混ざり合い、ぐちゃぐちゃになりながらも自分を保とうと、時に保っているものを壊そうと、留まろうと、時には弾け飛ぼうとしている、柔軟で移ろいやすく、変化せずにはいられない、悲しくもあらゆる可能性に満ち溢れた存在なのだという事実を華麗に表現してくれました。

小説は、全てあなたに溶け込みます。物語、キャラクター、自分では考えもつかなかった視点、炭酸のように弾ける喜びや感動、泥のようにあなたを覆っていく悲しさや苦しさ、自分一人では辿り着けなかった光景、そして自分でも気づかなかった新たな自分の発見。その全てが酸素のように行き渡り、あなた自身になっていくのです。

見た目にお金や時間をかけるのも楽しいですし、友達関係に悩むことも、友達と遊びまくって時間を忘れるのもかけがえのない体験です。でも振り返ると、辛い時、もっとも深いところで自分と向き合ってくれたのは、いつも人ではなく小説だったと私は感じています。もちろん小説でなくてもいいです。音楽でも漫画でも映画でも絵画でも、どんなあなたでも逃げずに向き合ってくれるものが、きっとたくさんあるはずです。あなたにとって最適な、人生を共に歩いてくれる、生涯のパートナーがたくさんできますように。

金原ひとみ（かねはら・ひとみ）

1983年東京都生まれ。2004年にデビュー作『蛇にピアス』で芥川賞を受賞。著書に『AMEBIC』『マザーズ』『アンソーシャル ディスタンス』『ミーツ・ザ・ワールド』『デクリネゾン』『腹を空かせた勇者ども』など。

かっこいい孤独（こどく）

作家
大前粟生

『東京ヒゴロ』
松本大洋
小学館

友だちと遊んでると楽しいけど、ひとりで好きなことしてた方が楽しくない？

そう思ったことはありませんか？

私はしょっちゅう思います。友だちとお茶したり、散歩をしたり、それはそれで楽しいけれど、家でひとりで本を読んだり、映画を観（み）たりした方が楽しかったかも、と。

友だちのことが好きじゃない、とか、そういうことではないのです。

友だちといる時間も、ひとりでいる時間も「それはそれ」として楽しいのです。

ただまあ、比べてしまうと……ということです（あまり比べるものでもないよなあ、とは思うのですが）。

もちろん、逆もよくあります。ひとりでなにか作品に触れているより、外で友だちと会っている時の方が楽しい、ということもあります。

私の場合は、人とわいわい楽しむよりも、ひとりが向いていたということなのでしょう。

そういう人って、世の中には意外とたくさんいるものです。いつもにぎやかで盛り上げ上手なあの人も、しょっちゅう誰かとこまめに連絡を取り合って出かけているあの人も、実はひとりの時間をなにより大事にする人だった、ということはよくあるのです。

要は、人といるかひとりでいるか、楽しい方を自分で選ぶことができればなんでもいいのです。あなたがどう過ごすかというのは、あなただけの問題であって、ゼロから100まであなたの自由なのですが、そういうことって、なかなか14歳の時には気づかなかったりするものです。

私も、意外とみんな他人のことを気にしてないんだな、とわかってきたのは、大人になってからでした。

学生の頃は、とにかく、他人の目を気にしていました。こういうことを言うと嫌われるかな。話を合わせておかないとダメかな。いつもこのグループの人たちといっしょにいるんだから、急にひとり外れて自分の席で本を読んでたら仲間はずれになっちゃうかな。そういうことばかりを考えていました。他人のことだったり、空気を読むということばかりを考えて、いつの間にか、自分がやりたいことを二の次三の次にしてしまっていた気がします。今振り返れば、もったいなかったな、と思ったりもします。10代の多感な時期に、本当にやりたいことを見つけて、そのために時間を使えていたら、今頃もう少し生きやすくなっていたかもしれないな、と時々考えます。

ただ、空気を読むばかりだった私も、だんだんと、ひとりの時間を過ごせるようになっていきました。それは、読書と映画鑑賞という趣味を見つけたからです。大学1年生の時に、短期のアルバイトを終えたばかりだった私は、少しだけお金と時間ができたな、と思い、レンタルビデオ店で映画のDVDを借りたり（当時は主要な配信サービスがまだなかったのです！）、名作と言われる小説の文庫本を買って読んだりしてみました。

そしてすぐに、「こんなにおもしろいものが世の中にあるのか、それも大量に！」と物語の世界に、ひいては小説家としてそれを作る方へとのめり込んでいったのです。

考えてみれば、なにか作品に触れている時はどうしたってひとりです。本を読んでいる時も、誰かと映画を観ている時も、結局は自分ひとりきりで作品と向かい合っているのですから。本と映画を通して私は、ひとりでいる時間の楽しみ方を鍛えてもらったのです。

『東京ヒゴロ』は、そんなひとりの時間の中で出会った漫画です。代表作に『ピンポン』などがある松本大洋さんが描かれた、漫画編集者と漫画家たちの物語です。

主人公である編集者、塩澤さんは、大手出版社の漫画編集部に勤めています。塩澤さんはその実直さと漫画への鋭い洞察力を持つやり手の編集者なのですが、いかんせん実直過ぎたのでしょうか、自身が立ち上げた漫画雑誌の売れ行きが芳しくないことの責任を取り、会社を辞めてしまいます。けれど塩澤さんは漫画愛を捨てきれず、本当にすごいと惚れ込んだ漫画家さんたちに声をかけ、また新しく漫画雑誌を作りはじめるのです。

この漫画には、派手なアクションやバトルなどはありません。けれど、確かに感動できるのは、漫画だけではなくモノ作り全般に共通するような「孤独」をこの本が捉えているからです。

あなたは、「孤独」にどのような印象を持ちますか？

「さびしい」だとか、「かわいそう」ですか？

私は、「かっこいい」です。そうなのです、『東京ヒゴロ』に出てくる漫画家さんたちの孤独は、かっこいいのです。

孤独に耐えるというよりは、漫画を考え、漫画を描き、時には漫画を描けないという孤独とじっくりとつきあう。その上で生み出された漫画もまた、めちゃくちゃかっこいいのです。

『東京ヒゴロ』もそうですし、その作中に出てくる漫画も、どちらかというと地味なものばかりです。けれど、アニメになるような漫画も、みなさんが通学かばんにつけているキーホルダーのキャラが登場する漫画も、どれも、孤独と向き合うことで作られています。

漫画だけではありません。小説も、映画も、音楽も。なにかひとつの作品には、その作者さんだけでなく、編集者さんや、プロデューサーさんや、いろいろな人のかっこいい孤独が関わっているのです。映画のエンドクレジットを想像してみてください。真っ暗な画面を背景に流れるたくさんの人たちの名前、その分だけの孤独があります。

そして、作品というものには、それを観てくれるお客さんが必要です。

あなたが作品と向き合っている時のその孤独もまた不可欠なのです。

どんな作品も、いろいろな人のいろいろな孤独が重なり合うことで出来上がっている、私はそう思います。

さて、なにが言いたいかというと、

友だちと遊んでると楽しいけど、ひとりで好きなことしてた方が楽しくない？

——そう思うことは、なにも悪いことではないのだということです。

なんとなく、「友だち」よりも「ひとり」を優先してしまうのは悪いこと、そんなムードが世の中にはあると思うのですが、ひとりが好きな自分が薄情なんじゃないかとか、そんなことは考えなくてもいいのです。だって、ひとりで好きなことをしたいと思うのは、とてもかっこいいことだからです。

あなたが好きなことをしているその時間は、きっとなにか別のかっこよさと繋がっているからです。
そしてあなたがその気になりさえすれば、この本が、この映画が、この音楽が、この絵が、この展示がよかったよ、とあなたのかっこいい孤独を友だちに薦めることもできるのです。よかったらそうして、あなたと誰かの孤独を関わらせてみてください。

大前粟生（おおまえ・あお）

1992年兵庫県生まれ。著書に『おもろい以外いらんねん』（織田作之助賞候補）、『きみだからさびしい』（本屋が選ぶ大人の恋愛小説大賞候補）、『まるみちゃんとうさぎくん』（NHK-FMでラジオドラマ化）、歌集『柴犬二匹でサイクロン』（第56回造本装幀コンクール東京都知事賞受賞）、『ぬいぐるみとしゃべる人はやさしい』（映画化）、『チワワ・シンドローム』など。

学校という小さなハコの外へ

建築家
隈研吾

「ヨオロッパの世紀末」
吉田健一
河出書房新社／『吉田健一』（池澤夏樹＝個人編集　日本文学全集20）所収

学校というのは、基本的に、とってもきつくてしんどいところだと思います。同い年の人間が、教室という狭いハコに閉じ込められて、勉強とかスポーツとか、様々な競争を、毎日、毎晩、強いられるわけですから、きつくないわけがありません。狭いハコの中では、いじめも起こるだろうし、教師だっていろいろな人がいて、僕もいやな目にたくさんあいました。

そのストレスから僕を救ってくれたのは、ハコの外の人たちでした。僕の場合、横浜の自宅から鎌倉の中学・高校まで通っていたので、学校というハコから帰ってくると、家のまわりで遊ぶ仲間がいました。その仲間の中で僕にとって一番の救いとなってくれたのは、少し年の離れた先輩、すなわちオニイチャンです。同い年の仲間だと、学校は違っても、それはそれで一種の競争関係にはあって少し疲れちゃうのですが、オニイチャンだと、そういうぎすぎすした競争関係から離れて、自由に教わったり、悩みを打ち明けたりすることができました。僕の家のはす向かいに、メチャメチャにメカに強い、車オタクのオニイチャンが住んでいて、彼の特別にチューンされた車でいろいろなところに遊びにいったり、彼の油のにおいのする暗いガレージファクトリーの中で、一緒に車を分解して、メカのことをいろいろ教わることができました。彼がいなかったら、メカの世界には近づけなかったかもしれません。僕が建築家の中でも、かなりエンジニアリングとかディテールにこだわるようなオタクになったのは、あのオニイチャンのおかげだと、今でもとても感謝しています。

　高校1年生の時には、もう一人の別のオニイチャンに出会うことができました。吉田健一という作家で、彼の本に出会ったことで、僕は車オタクのオニイチャンからは聞けなかった様々なことを知ることができ、また通っていた学校や近くにいる普通の大人達が住む世界とは全く別の場所、別の時間の中を生き始めることができました。もちろん実際に吉田健一と会ったわけではありません。彼の本を手にとったことで、彼の言葉に魅了され、彼の世界の中を歩き始めるようになったのです。

最初に読んだ吉田健一の本は「ヨオロッパの世紀末」というタイトルで、「ヨーロッパ」でなくて「ヨオロッパ」であることが、まずこのオニイチャンの、ひねくれて、反抗的な態度を象徴しています。このオニイチャンのスタンスを一言で僕なりに要約すれば、「まじめなことはバカバカしい」ということになります。当時の学校の教育の基本は、今でも同じだと思いますが、「まじめに勉強しろ」「きちんと生活しろ」というものでした。僕の父親は明治生まれで、僕に対しても普通の親子のようなくだけた話し方は生涯してくれませんでした。おっかなくて、厳しい人間で、酒も一滴も飲みませんでした。家に帰っても、学校以上にまじめできちんとしていることを押し付けてきて、息が詰まるような毎日でした。そのまじめさに疲れていた僕は、吉田健一に出会って、ヨーロッパというのが基本的にはすごくふまじめで、いい加減で、酒ばかり飲んでいる楽しい社会だということを教わりました。僕が学んでいた頃の高度成長期の日本は、すべてにおいて効率重視で、画一性優先でした。西欧がその効率的でまじめな社会だと教え込まれていました。しかし吉田健一は、その常識をひっくり返したのです。吉田健一は、産業革命時代の産業優先、経済優先の品の悪いヨーロッパと、高度成長期の日本のまじめさが似ていると指摘しました。19世紀の終わりからの「世紀末」のヨーロッパが、ふまじめを武器として、それ以前の経済優先の成り金時代を批判し、ひっくり返したと喝破したのです。退廃と堕落の時代といわれていた「世紀末」を、吉田健一は健康な批判精神の時代として、「再発見」したのです。

これが僕流の吉田健一の解釈で、もちろん吉田健一のヨーロッパ論は当然のこと、もっと深くて複雑であるわけですが、高度成長時代のまじめさに疲れていた当時の僕は、吉田健一のことを、そのようなふまじめなオニイチャンと理解することで、学校からも友達の面倒くささからも解放された気分になり、毎日吉田健一の本を読みふけりました。学校で教わることよりも、友達とのおしゃべりよりも、この酒飲みでふまじめで物知りでひねくれたオニイチャンのいうことが魅力的で、心にぐいぐい響いたのです。

この吉田健一というオニイチャンとの出会いは、今の僕の建築デザインと、つながっていると感じます。吉田健一が高度成長の日本のまじめさを批判し、おちょくっているのを見て、僕は高度成長の日本を支えたコンクリートと鉄の建築を批判する勇気をもらいました。高度成長でコンクリートと鉄の建築がやってくる前の、木のハコでできた日本は、もっと風通しがよく、ふまじめで自由な場所だったのです。

もし、吉田健一に出会わなかったならば、やみくもに学校や親に反抗し、暴れて遊ぶただの不良に終わっていたかもしれません。オニイチャンがいたおかげで、自分の置かれている時代というものの本質が見え、何に対して、どう反抗し、どう戦えばいいかを教わることができたのです。

そして同時に、ヨーロッパを自由に徘徊（はいかい）する楽しくふまじめでいい加減な大人達とのつきあい方、口のきき方を教わることができました。僕が日本というハコの外のヨーロッパにたくさんの友達ができ、彼らのためにいろいろな建築を設計できるようになったのも、基本的には吉田健一というオニイチャンのおかげだと思っています。

いつの時代でも学校はそんなにおもしろいところではないし、その小さなハコにつめこまれた同級生は、しばしばストレスをぶつけあうだけのうっとうしい存在です。その時には、思い切ってハコを飛び出してしまえばいいのです。ハコのきまりやしきたりも、忘れてしまって、飛び出しましょう。外の世界は素敵（すてき）なオニイチャン、オネエチャンで溢（あふ）れています。現実でも本の中でもかまわないから、そういう人を見つけられたら、世界が変わってみえるはずです。

隈研吾（くま・けんご）

1954年神奈川県生まれ。79年東京大学大学院建築学専攻修了。90年に隈研吾建築都市設計事務所を設立、以後20か国以上で建築を設計してきた。著書に『建築家になりたい君へ』（河出書房新社）、『負ける建築』（岩波現代文庫）、『日本の建築』（岩波新書）、『建築家、走る』（新潮文庫）、『新・建築入門――思想と歴史』（ちくま学芸文庫）など多数。

友達のいない僕の物語

翻訳家
金原瑞人

『それは誠』
乗代雄介
文藝春秋

「忘れないようにもう一度、自らについて、特筆すべき人間関係なしと認めておこう。友達は俺と僕と私だけ。そんな人間は死ぬ時に何を思うんだろう。*1」

主人公の「僕」はある地方都市の高校に通っていて、二年生の修学旅行で東京に行くことになるのだが、自由行動が許されている日に東京郊外の日野市に住む叔父に会おうと思い立つ。しかし当日はグループ単位で行動しなくてはならない。僕の所属しているグループの女子三名は新大久保とか葛西臨海水族園とかに行きたいというし、男子三名

*1　乗代雄介『それは誠』（文藝春秋、2023年）p.6

もひとりを除いては、そんな僕につきあうつもりはまったくなかった……のだが、それぞれの思惑がからみ、男子は全員、日野までつきあうことになる。

　僕がなぜそれほど叔父に会いたいと思ったのか、その事情が簡単に説明される一方、修学旅行の一日が描かれていく。

　どんな出来事があって、どんな事件があったのか、結局、僕は叔父に会えたのか、高校生男子四人はその一日をどう行動し、何を考えたのか……。

　ありきたりな言葉でまとめてしまえば、彼らは得がたい体験をする。それはこの本の最初の部分にも書かれている。

> あの修学旅行で取り込まれた水分が体から抜けないうちに、急ぎあの修学旅行のことを、潤沢な涎でもってだらだら書き上げなきゃいけない。舌の根も乾かぬうちにってことじゃなければ、あの日のことは一生わからないままだろう。そんなのはごめんだから、こうして学校行く間も惜しんで書き始めたわけだ。[*2]

＊2　同　p.4

そのうえ、教室でほかの三人と会って話でもしようものなら、「修学旅行について書く気なんかなくしてしまうに決まってる」から、これをおんぼろのＰＣで書き上げるまでは、何十日かかろうと、何百日かかろうと、学校には行かないと決めている。

そんな気迫で書き上げられた修学旅行の一日の物語は文句なくおもしろいし、最後の部分は強烈……なのだが、この作品が、心も気持ちもばらばらだった四人が友情を育む物語かというと、そうではない。そもそも、僕は、これを書いている最中にも、「友達は俺と僕と私だけ。」と言い切っているのだから。

しかしこの作品は、修学旅行中のその日の、その記憶だけで、このどうしようもない世界を生きていけるかもしれない、そんな期待を一瞬だけでも抱かせてくれる。友情とか友達とかいう前に、まずこの作品を読んでみてほしい。

とくに考えさせられるのは、まん中あたりの次の場面だ。

「高村先生はぁ、友達が困ってたら助けてあげた方がいいと思いますかぁ？」

「なに、その質問」高村先生は身を引くしぐさで応えた。「あと言い方」

小川楓(おがわかえで)は「どうですかぁ？」と続ける。

先生が考えこむ間、僕はちょっと気を引(ひ)き締(し)めた。蔵並(くらなみ)に訴(うった)えかけるために、そういう質問をぶつけてる風だったからだ。

「友達が必要ない人もいるじゃない？」と先生は言って、僕のことだけを見なかった。「だから、友達がっていうんじゃなくって、困ってる人がいたら――」*3

このあと、宮澤賢治(みやざわけんじ)が生徒を川遊びに連れて行ったエピソードが出て、溺(おぼ)れかけているとき、助けてくれる人と、一緒(いっしょ)に溺れてやろうという人と、どちらに来てほしいかという話題に行き着く。これはこの世界で、それぞれの人間関係のなかで「泳ぎながら溺れてる」人たちみんなにとっての大きな問題なのではないだろうか。そんなことも考えさせられるところにも、この小説の魅力(みりょく)がある。

さて、友達を考えるうえで、もうひとつ読んでほしいのが同じ作者の『パパイヤ・ママイヤ』。タイトルは主人公ふたりのハンドルネーム。ふたりとも十七歳(さい)。パパイヤはアル中のパパが「どストレートに嫌(きら)い」だからパパイヤで、ママイヤはパパには会った

*3　同　pp.65-66

ことなく、ママに対しては「愛憎半ばする」感じなので、それほどイヤでもないのだが、とりあえずママイヤ。ママが「今、わたしの知らない人とベルギーで暮らしてる」からママイヤはひとりで生活していて、学校には全然行っていない。ただしお金はある。

　ふたりが会うのは、基本的に、パパイヤのバレーボールの部活のない水曜日の夕方。場所は千葉県木更津市の東京湾に面した河口干潟。ふたりはＳＮＳで出逢い、ここで会うようになる。詳しく説明する余裕はないけれど、とにかく、文句抜きの青春小説で、ガール・ミーツ・ガールの本のなかでは最高のエンディングが待っている。

> 二人の間にある段差のもどかしさを殺してしまいたくて、わたしはパパイヤの腕をつかんで思いきり引っ張った。派手な水しぶきの泡が消える暇もなく、もう足がつく海の中、わたしたちは互いの体がそこにあるのを確かめ合うように、痛いほどきつく抱き合った。交わしてきた言葉を大空へ返すように、何度も何度も高い声を上げた。目いっぱいの涙は二人分、一つしかない海にまぎれた。＊4

＊4　乗代雄介『パパイヤ・ママイヤ』（小学館、2022年）p.171

パパイヤは「ずっと友達だね」といい、わたしは「うん」と答える。

こんな素敵な出逢いが、こんな素敵な友達が、自分の目の前に現れるかどうかなんて、どうでもいい。この小説を友達にすればいい。

同じ作者による、友達のいない僕の物語と、友達を見つけるわたしの物語をひとつずつ紹介してみた。

ここまで読んでくれた人にはもうわかっていると思うのだが、これを書いている僕にも友達はいない。自分だけがそう考えているわけでない。たとえば、僕が「友達はいないんだよね」と公言しても、「おい、おれのことを忘れてないか」といってくる友達はいないはずだ。だからといって、さびしくはない。そしてまた、友達がほしいとも思わない。なぜなら、『それは誠』とか『パパイヤ・ママイヤ』といった小説が次々に会いにきてくれるからだ。ただ、そういう本と出逢えなくなったらきっと、すごくさびしいと思う。

金原瑞人（かねはら・みずひと）

１９５４年岡山県生まれ。法政大学教授、翻訳家。児童書やヤングアダルト向けの作品のほか、一般書、ノンフィクションなど、翻訳書は４００点以上。訳書に『豚の死なない日』『青空のむこう』『国のない男』『不思議を売る男』『バーティミアス』『パーシー・ジャクソンとオリンポスの神々』『ジョン万次郎——海を渡ったサムライ魂』『さよならを待つふたりのために』など。エッセイに『翻訳家じゃなくてカレー屋になるはずだった』『翻訳のさじかげん』など。日本の古典の翻案に『雨月物語』『仮名手本忠臣蔵』『怪談牡丹灯籠』。

本心なんて、いわなくていい

作家
町屋良平

『ポリティカル・コレクトネスからどこへ』
清水晶子、ハン・トンヒョン、飯野由里子
有斐閣

私はかつて苛められていた。それは小学三年生か四年生のころだったかと思う。「町屋菌」と呼ばれ、汚いものとして扱われ私にタッチしては他の友達にタッチして擦り付けうつっていく、そのような時期がおそらく数ヶ月間にわたってあった。

私はそれにどう対処したかよく覚えていない。おそらくは普通に「やめてよー」とか言っていたと思うが本気ではない。疲れて机に座り、それに対しよいリアクション（たとえば「マジでやめて！」とかキレるとか本気で嫌がるとか「先生に言うぞ！」と言うとか）もできなかった。私は小学生のころから元気がなかった。しかし明確に言えるのは、私は自分が苛めを受けたことにそれほど驚かなかったし、「不当な目にあっている」という自覚はなかった。

その「町屋菌」事件はややあって担任の先生にバレた。学級会が開かれ、なぜ町屋君を「町屋菌」と呼ぶのか、そしてこうしたケースにふさわしい教えや説教のようなものが展開された。担任の先生としては当時、ふさわしく出来る限りのことはしてくれたと思っている。

しかし当時の私は学級会の最中、ひたすらその担任教師のことを憎悪していた。なんてことをしてくれたんだ！　果たしてここまで大事にすることか？　たしかにもう数ヶ月間、自分はバイキン扱いされている。汚いものとして嫌悪されている。だがそれはあくまでも子どものお遊びのようなもの！　小学生同士の戯れを真に受けてここまでの問題にするなんてバカげている！　おそらく苛めているほうも多少はそう思っていただろうから、私は苛められる側なのに苛めている側に感情移入していたというわけだ。

まるで茶番！

私はそう思っていた。

今考えれば、苛められている人間の典型的な「否認」、つまり自分は苛められてなどいないしことを荒立てないでほしい。そういったよくある反応に過ぎないものだったかもしれないけど、私はこの日のことを私の性格をあらわす典型的な出来事として、よく覚えている。

あの日の強烈な恥ずかしさ。あの学級会の時間の中でこそ、自分は苛められていたのだと今もどこかでそう思っている。

重要なのは苛められていたことではなかった。苛められていることは恥ずかしかった。だがそれは苛められているから恥ずかしいのではない。苛めは私が根源的に抱えている恥を前面に押し出した事件に過ぎなかった。なぜなら私は苛められている最中一度も私が不当な目にあっていると怒らなかったではないか。私は私でいることそのものが恥ずかしかった。むしろだからこそ苛められ、軽んじられたのではないか。だから友達にもつねにどこか後ろめたかった。いつも嘘を吐いているような気分だった。

そして実際に、友達に嘘を吐くことも平気だった。これは大人になってからも変わらない。とにかく「恥ずかしい」から偽ってしまうのだ。人前にいるときはとくに、そうでなくとも普通に生きていることがなんだか「恥ずかしい」。その羞恥心によって身体が妙に強張り、緊張している。いろんな本を読んだ今だからこそこれは私が幼少期に安定的な愛情や安心を与えられなかったせいだという説が有力だな、と勝手に自己の症状をそう分析したのだが、しかし納得したからといってそれが和らぐわけではない。

若いころはとくにとにかくワケが分らず、混乱していた。私を苛めていたメンバーのなかには当時私にとって「友達」と言い合えるような人間も含まれていて、泣きながら「町屋くん、ゴメン。う……町屋くんのことを町屋菌とか言って、ほんとうにごめんなさい」と教師の前で泣きながら謝罪させられていた。

私は「いいよー！」と思っていた。そもそも私は友達に対して怒りや憤りや疑問などは感じていなかったのだから。なぜ私をバイキン扱いするのかと、そんなことはぜんぜん、まったく思っていなかった。私じしんが、私のことを「町屋菌」と呼ばれるにふさわしく汚い恥ずかしい人間だと思っていたのだから。だから子どものころの私は友達に、「私の汚さを我慢してくれよ」という風にしか思っていなかった。じつはそれは今もとくに変わっていないけれど、しかしそんな風に扱われるのはたぶん違うと判断できるようにはなってきたし、暴力的に集団に交ぜられて毎日「生活」をも共にする学校のような残酷なシステムにはもう参加しない。私は学校というものから「逃げ切った」と思っている。

　しかし、学校という残酷なシステムは現在もなお変わらないものだと私は思う。だから、苛められたり、なにか疎外感を感じる出来事に遭遇したりして、過度に自己否定的に、ネガティブに感じてしまうことは私じゃなくてもとても多いだろう。

　よく大人は「学校というのは社会の縮図だ」というけれど、社会の縮図にしては所属する集団や居場所を選ぶことができなさすぎるし実際に全然違う。逃げる場がない。これは社会よりもずっとない。

　人は間違う。謝罪して訂正しても傷つけてしまったことは変わらない。人はときに通じ合えず、言葉が通じない相手というのは確かにいる。小学生のときの苛められていた私に、私は今もしかるべきアドバイスができない。幼いころの自分自身にさえ、言葉が通じないと思っている。

私は自分を信じておらず、それ故にか、人に心をひらくことがない。だが友達はいる。まあまあいる。よく嘘を吐いているけれど、それは相手に気を使って思ってもないことをつい言ってしまうということでもある。そんなことを続けていてはいつかボロが出ると思われるかもしれないが、それしかできないからどうしようもなくそうしている。私は他人に正直になることがどうしてもできない人間だ（だけど小説を書くとわりと正直になれる）。

私は私と友達になれるだろうか？　もしべつの人間として近くにいたら。おそらくなれない。かつての私とは友達になれないかもしれないけれど、別の友達はいる。不思議なことである。人はそれぞれ違う。自分のことは恥ずかしく、許せないかもしれないが他人のことは許せる（許せないこともあるけど、そのポイントはそれぞれに違う）。私にとっては恥ずかしい私のことを恥ずかしく思わない友達がいる。そのことは信じられる。思えば人の多様性や違いを認め合うということは、そういうことではないか？　私にとってはとても信じられないことを信じている人がこの世界にいるということ。

それぞれの違いを認め合い、関係や思いの行き違いを見直し謝罪する。私が私として混乱した状況のままでもそれはそれとして、人間はそれぞれの状況を整理しあい分かちあいながら生きていくしかないのだとある程度納得するに至った、そのきっかけとなった本のひとつに『ポリティカル・コレクトネスからどこへ』がある。

本書はいわゆる「ポリティカル・コレクトネス」つまり政治的正しさと呼ばれるものについてどう考え、どのように行動すべきか、ざっくり紹介してしまうとそのようなことについて三者三様の研究をする著者らが話し合いながら、それぞれの考えを書いていく本だ。一見すると難しく、堅苦しい印象の本かと思わせるが、三人で話し合うパートと、その話し合いを受けた個人がそれぞれの考えを書くパートと交互に構成されているため、三者の意見の違いや一致するところがスッと分りやすく理解できる。「この社会を少しでもマシなものに」という同じ目標へ向いている三人でさえ、意見の違いはあるし、生じる疑問は尽きない。ときにそれを受け容れて修正し、ときに互いの意見の再考を促しもする。この本に書かれているのはそれぞれの研究者のそれぞれの専門的知識のぶつかり合いだけど、専門的な場でなくても、自分の学生のころにもこのように安心して真剣に互いの考えを聞き、話し合える場があればよかったのに、と強く思った。少なくとも「恥ずかしい」という気持ちを宙吊りにして落ち着いた、安心できる議論の場というものを知らずに私は大人になってしまった。

とくに若い人たちはこれから初めて経験することが多く戸惑うかもしれないけれど、しかし、さまざまなことを経験してさえわれわれ大人はワケが分らず戸惑っているし、バカみたいに混乱している。私も混乱したまま毎日生きて、何かを言ったり、書いたりしている。

人間はまるで呼吸するみたいに、なにも言いたくなくても言葉を発せねばならない場面が多い。学校などその最たる場だと思う。そこにいるのはあなたの友達と呼べる大切な存在かもしれない。今のあなたが思う本当のことを言おうとするよりよほど、「これは他人にぶつけていい言葉か?」「これをしたら誰が傷つくだろう」と想像することの歴史はたくさん積み重なっていて、学ぶべきことがある。何を言い、何を言わないか、どの年齢のどの時代の人間にとってもシンプルでありながら難しい選択でありつづけた場面ではないだろうか。黙っていることの許されない場面でも、べつに本心を言おうとする必要はないと私のような人間は言いたい。

本書で議論されている内容は普遍的、かつ現代的な内容であるのと同時に古典的なことでもあると、私は読んでいて勇気づけられた。私たちはずっと、自分が行使する自由が誰かを損なうものであった場合、それを再検討することから更なる自由を獲得してきたのだと、その歴史を信じたい。

町屋良平（まちや・りょうへい）

1983年東京都生まれ。2016年『青が破れる』で第53回文藝賞を受賞しデビュー。同作で三島由紀夫賞候補。2018年『しき』で芥川賞候補。2019年『1R1分34秒』で芥川賞を受賞。2022年『ほんのこども』で野間文芸新人賞を受賞。他の著書に『ぼくはきっとやさしい』『愛が嫌い』『ショパンゾンビ・コンテスタント』『坂下あたると、しじょうの宇宙』『ふたりでちょうど200%』『恋の幽霊』『生きる演技』がある。

その枷を外す方法

作家
日比野コレコ

『きみの友だち』
重松清
新潮文庫

わたしは、わたしの話をするのが嫌いだ、つまり、わたしはエッセイではなく小説が好きだ。文章を書くのが好きなのではなく小説を書くのが好きで、小説を書いているときだけは自分にすごく素直になれるし本当に純粋な気持ちで自分のことを好きになれる、だから、この原稿を書いたのは、コガレちゃんという小説が大好きな女の子だとしよう。その子はいま二十歳だ。コガレは、児童小説の主人公が大抵そうであるように、臆病の檻の中に閉じ込められた好奇心を持っていた。だから、顔も髪の毛も、躰のすべては鎧でそのちいさな眼だけが本当、そして、「ここから出して」とでも言うようにその眼を小説を読みながらきらきら光らせる少女だった。

ハロー、あなたには、今、いくつもの枷がついている。自分の顔に髪の毛に自信がない、休み時間にはともだちと一緒にいなければならない気がする、ひとりで下校することは恥ずかしい、恋人がいたことのないことに引け目がある……。大人になるということは、その枷を外していくということだけれど、あなたたちはまだ子供である。さて、どうすればいいか。

この本はきっと、それを解決させるためにつくられたものだろう。つまり、あなたたちに学校生活をsurviveさせるその方法を教えるためのもの、ということだ。具体的には、ともだちや恋人の作り方を助言したり、いじめられない方法を教えたり、現実から目を逸らすための。しかし、そのようにsurviveするというのはそれ自体とても辛いことであり、手段と目的が逆転しないように慎重にならなければならない。

今はただ、学校でいじめられないようにペルソナを纏って振舞うだけでもかまわない。

しかし最終的には、あなたはその survive を、live に転換することを試みなければならない。生き延びることそれ自体が人生の目的にならないよう、気を付けなければならない。しかしそれはもっと後の話でもかまわない。まずはあなたの枷の話をしよう。

あなたの足や腕や首に輪投げのようについた枷は、一生ついたまんまのものもあれば、大人になれば、高校や中学校という場所を出れば、自然と外れるものもある。でもさっき言ったように、それじゃ遅い。わたしはあなたたちに、できるだけ早く多くの枷を外して、かろやかに生きてほしい。些細なことで、笑えるようになってほしい。

すべての枷を外すもっとも簡単な方法は、自分が特別な人間だと信じられるようになることだ。自分に自信を持つことだ。

まず、もっとも簡単で早い枷の外し方がある。

たとえば、ルッキズムから「降りる」ためには、自分の顔をルッキズムに照らし合わせて美しく変えることがもっとも早い。しかしそれは早くて簡単なだけの方法である。でもあなたがそこから逃れようもなく死すら考えるようなら、わたしはそれを応援する。

お金をかけて縮毛矯正をしたりカラコンを入れたり整形したりすることを応援する。実際にそれは早くて簡単で効果的な問題だから。でもそれでは問題の根本的解決にはならない。

また、力業で枷を外す方法もある。あなたをもっとも苦しませるもの。塾や学校や部活やともだちのグループ、そこから抜け出すこと。もともと「強い」人ならそうしてもまったく問題はないと思う。でもその逃避が逃避のための逃避だったなら、そのとき少し、あなたの未来が、危うくなるかもしれない。

枷を外すには、その枷を外しながらいきいきとうつくしく生きている人間がこんなにも存在するのだと、あなたが知ることがとても大切だ。つまり、そういう人間がたくさんいる環境に身を置ける、ほんの少しの勇気を持つこと。けれど、そのほんの少しの勇気の一歩を踏み出すことが、今のあなたたちにとってどれだけ足のすくむことなのか、わたしは、本当に本当にわかっているつもりだ。

というのは、わたしは結局そのどの枷をも、大人になるまで外すことができなかったからだよ。自分の体形や顔について気にしなくなったのも大学に入ってしばらくしてからだった。

だから、あの頃のわたしのような、これまでのどのような助言も実行に移せそうにない、人と本音で関わることが本当に怖くて、自分の強みなどなにも持っていない、だから自分は強くなどなれないと思う人の前に、やっと、小説や漫画なんかがのそのそと登場するのだ。

重松清『きみの友だち』には、いろいろなクラスメイトが出てくる。理由のあるいじめっ子、理由のないいじめられっ子、自分を持った強い子、自分を持った弱い子、自分を持たない強い子、自分を持たない弱い子。重松清は、いろいろな人たちどうしを関わらせるけれど、そのあいだにどちらが「正しい」かの決着はつかない。いじめっ子よりいじめられっ子が正しかったり、強い子が弱い子より正しかったりあるいはそれらの反対だ、と断定されることもない。それはあなたたちにとってとても大切なことだろう。

ノンフィクションの本で言うなら『科学者18人にお尋ねします。宇宙には、だれかいますか？』（佐藤勝彦監修、縣秀彦編、河出書房新社、２０１７年）も勧めたい。自分の悩みをポジティブな意味で矮小化させるために宇宙に目を向けることはきっと楽しい。

宇宙人は存在するとあなたは思うかしら？　実は、宇宙人というのは存在する確率のほうがずっと高く、学者のあいだでも宇宙人が存在するのだというほうが定説であると知ること。今まで自分がフィクションだと断定して信じてこなかったことが、どうやらフィクションではなく真実であるようだということを知るほんの少しの興奮を味わうこと。それならあなたが今読んでいる小説はどうなんだろう？　フィクションにこれはフィクションだというラベルを貼り付けてそれについて考えるのを止めてしまわないようにできる練習だよ。あなたは、サンタ・クロースは存在しない、と本当に考えている？　本当に本当にそう思う？　その揺らぎから、裂け目から、生まれるのでしょう。新しい物語というものはね！

　さてコガレ、原稿も終わりに近づきそうだよ。話をまとめないといけない。学校生活を生き抜くとはどういうことだろう？

「信じるということよ」

　信じること？

「月並みだなんて誰にも言わせないわ。それはこの世でもっとも大切なことよ。自分の大切なものを信じる気持ちを、絶対に失わないこと」

コガレは唇の端にはにかみの影を見せたが、唇をキッと結んでその影を追い出しました顔になって話し出す。

「コルタサルはこう言った。『ときとしてぼくは、愚かさが三角形と呼ばれ、八かける八は狂気もしくは一匹の犬である、と信じる』[*1]。ミラーはこうよ。『私はおまえの嘘をすべて絶対的に信じる。おまえは悪魔の化身であり、魂の破壊者であり、夜の奥方であると、私は思う』[*2]。じゃああなたは？　あなたはなにを信じるの？　なにを信じてもいいのよ」

コガレはなにを信じるの？

「わたしは心の飢餓感を信じるわ。クリスマス間際のあの街の高揚を信じる。人に誠実すぎるやり方でしか関われないともだちを信じる。小説を信じるわ。わたしは小説を信じる。そしてあなたは？」

*1　フリオ・コルタサル『石蹴り遊び』（集英社文庫、土岐恒二訳、1995年）p.32

*2　ヘンリー・ミラー『南回帰線』（新潮文庫、大久保康雄訳、1969年）p.477

日比野コレコ（ひびの・これこ）

２００３年生まれ、大阪府在住。２０２２年『ビューティフルからビューティフルへ』で第59回文藝賞を受賞し、デビュー。最新刊に『モモ１００％』。

友だち関係、こんなとき、どうする？

どんな悩みにも答えてくれる魔法の本

ゲーム作家
米光一成

『タロット占いの教科書』
賢龍雅人
新星出版社

開くたびに内容が変わる魔法の本がある。

タロットカードだ。

「カード？　カードは本じゃないのでは？」と思った人、するどい。でも、本とは何だろう？　辞書的に考えると「文字や図画などを紙に印刷して綴じたもの」だ。じゃあ、紙ではない電子書籍は本じゃないのか。オーディオブックは本じゃないのか。

そうやって本の範囲を拡張して考えると、「紙に印刷した」とか「綴じている」というのは本の本質ではない。本にとって大切なのは、読解してもらうために情報をまとまりのある形にしていることだろう。本とは「まとまりのある情報を伝えるためのものであり、持ち運べるような形にしたもの」だと、ここでは定義してみよう。

そうすると、タロットカードは本だ。神秘的な占いの道具ではなく本としてのタロットをオススメしてみようと考えているわけだ。だから、占い師は必要ないし、神秘の力も不要だ。タロットと、読む君がいればＯＫ。

じつは「友だち関係で悩んだときに役立つ本」を紹介しようと、あれこれ悩んだのだ。あの本がいいだろうか、いや、この本のほうがいい。むずかしい。なにしろ、ぼくは君を知らない。君が、どのような友だち付き合いをして、どのように悩んでいるのか、ぼくにはわからない。友だちができなくて悩んでいるのか、喧嘩して悩んでいるのか、友情と恋の間で揺れ動いて悩んでいるのか、それともたいして悩んでいないのか。わかっていれば、それに適した本をオススメできる。でも、そうじゃない。

だから、開くたびに内容が変わり、君にぴったりと寄り添ってくれるタロットを紹介しようと思いついたのだ。

タロット研究家のダメットによれば、タロットの成立年代は１４２０年から１４５０年ごろ。貴族たちのゲーム用カードだった。そう、神秘的な占いとしてのタロットは後に創作されたものだ、というのが今では定説になっている。

現在、いちばんポピュラーなタロットカードは、ウェイト版と呼ばれるもの。大アルカナが22枚、小アルカナが56枚、合計78枚。

大アルカナには象徴的（しょうちょうてき）なイラストが描（えが）かれていて、番号と名前がついている。０番の愚者（ぐしゃ）。１番の魔術師。２番の女教皇。３番の女帝（じょてい）。４番の皇帝。５番の司祭。６番の恋人。７番の戦車。８番の力。９番の隠者（いんじゃ）。10番の運命の輪。11番の正義。12番の吊（つ）るされた男。13番の死神。14番の節制。15番の悪魔。16番の塔（とう）。17番の星。18番の月。19番の太陽。20番の審判（しんぱん）。21番の世界。

この22枚が、ありとあらゆる総（すべ）てのものを表現している「体系」だと考える。

本を読むときは、表紙をめくって、１ページ目から順番に読んでいけばいいのだが、タロットは準備が必要だ。

儀式（ぎしき）だ。混ぜて（シャッフル）、世界を混沌（カオス）にする。混ぜながら、君がいま悩んでいることをできるかぎり頭の中で言語化してみよう。それについての答えが書いてあるのだ、とイメージしながら、カードを展開（スプレッド）する。

展開（スプレッド）の方法はいろいろある。最初はシンプルに「スリーカード」でやってみよう。カードの山から1枚ずつ引いて3枚並べてみる。並んだ配置にも意味が生じる。左から「過去」「現在」「未来」だ。

たとえば、友だちと喧嘩したことを悩んでいるときに、左から「戦車」「塔」「星」が出たとしよう。過去の位置に出た「戦車」は「猪突猛進・勝利・成功」を象徴する。喧嘩したのは、文化祭の準備をしているときに意見が食い違ったからだ。どちらも譲らず、自分の考えを突き進めようとしていた。とか、なんとか、「戦車」のカードから連想する「過去のこと」を思い出す。これを占い師たちは「照応（コレスポンデンス）」と呼ぶ。出てきたカードが自分の心の内を照らして、それに応答するのだ。

現在は「塔」だ。「塔」は、まさに「アクシデント・事故」を意味するカード。そう、あれはアクシデントだった。どちらかがちょっと譲ればいいことだった。それどころかもう少し冷静に話し合っていれば、たいした食い違いじゃなかったのに。でも、あのときはカッカしていて、事故ってしまったのだ。

そして未来のカードは「星」。「希望・創造力」のカードだ。そうだ、いままでだって喧嘩しては仲直りしてきた。希望はある。しかも、星のカードに描かれている女性は、頭を垂れて、謝っている姿に見える（こうやって自分に都合よく解釈するのがタロットの奥義だ）。明日、ごめんって言うことにしよう。

というようにタロットを「読む」。いまいちピンとこないカードが出てきたらやりなおせばいい。また混ぜて、カードを開いて、やりなおせばいいのだ。何しろ開くたびに内容が変わる本なのだから。読むタロットは、当たる占いじゃなくて、思い当たるための読書なのだから。

でも未来の位置に「死神」のカードが出たら嫌だなと思うかもしれない。だいじょうぶ。「死神＝死」と読解するのは単純すぎる。リセットと解釈していい。いったん死んだことにして生き返ればいい。喧嘩していままでの二人の友情は死んだけれど、リセットして新しい友情を作り上げていこうと考えればいいのだ。

大アルカナはたった22枚で世界を象徴する。だから、ひとつのカードにたくさんの意味が込められている。それを読むのは自分だ。都合のいいように読めばいい。

実は紙で綴じられた本だって、自分勝手に都合のいいように読んでいいのだ。最後から読んでもいいし、同じページを何度も読んだっていい。ニーチェに喧嘩売りながら読んでもいいし、夏目漱石の『こころ』のラストシーンが気に入らなければ君の読解で書きなおしてもいい。

【オマケ】

いろいろなタロットカードがあって、どれをゲットすればいいのか迷う人には『タロット占いの教科書』がオススメ。ウェイト版のカードと教科書のセットだ。タロットの歴史や、図像学的な意味について知りたい人は『タロットの秘密』、占いではなく思考ツールとして使いたい人は電子書籍の『思考ツールとしてのタロット』を読んでみてほしい。

・『タロットの秘密』（鏡リュウジ・講談社現代新書）
・『思考ツールとしてのタロット』（米光一成・こどものもうそうブックス）

米光一成（よねみつ・かずなり）

ゲーム作家。デジタルハリウッド大学教授。広島県出身。コンピュータゲームからアナログゲームまで幅広い作品を手掛ける。代表作『ぷよぷよ』『はぁって言うゲーム』『あいうえバトル』『ピラミッドパワー』『負けるな一茶』など。ゲーム的な仕組みを活かした発想ツール『むちゃぶりノート』の開発や、儀式イベント『記憶交換ノ儀式』や『儀式フェス』などを展開。著作『東京マッハ——俳句を選んで、推して、語り合う』（共著／晶文社）、『思考ツールとしてのタロット』（こどものもうそうブックス）など。

どこも自分の居場所じゃないような気がするとき

動物作家
篠原かをり

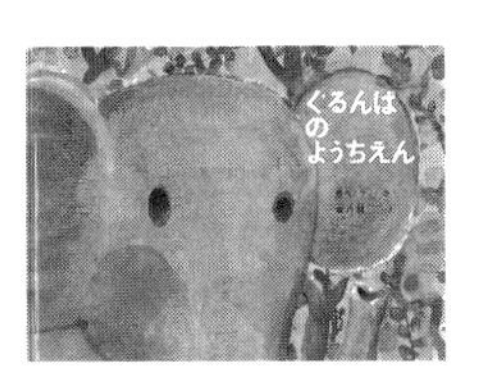

『ぐるんぱのようちえん』
西内ミナミ［作］、堀内誠一［絵］
福音館書店

ぐるんぱは、ひとりぼっちのおおきなぞうです。
「じゃんぐる」には、他のぞうも住んでいるのに、ひとりぼっちです。

では、はたらきに　だそう
さんせーい、さんせーい

と他のぞうたちはぐるんぱの気持ちを聞くこともせずにぐるんぱを洗って外の世界に送り出します。

おかしな話ですよね。ぐるんぱがいつもぶらぶらしていたり、めそめそ泣いたりするのは、周りのぞうたちのせいでもあるというのに。体は洗ってくれるけれど、仲間に入れてくれるわけじゃないのです。

まあ、でも、ぞうなんだから、同じぞうと仲良くすべきというのは人間の傲慢(ごうまん)な偏見(へんけん)なのかもしれません。ぐるんぱだって、ぞうに生まれただけであって、ぞうと仲良くしたいとは言ってないですもんね。むしろ、旅立つときの清々(すがすが)しい笑顔(えがお)は、ぞうの世界への未練のなさを感じます。

私はこの絵本をどこに行っても何か周りの友達と合わないような、どこも自分の居場所じゃないような気がするときに読んでほしいと思っています。

ぐるんぱは最終的に幼稚園(ようちえん)というぴったりの場所にたどり着くことができました。でも、もし、ぐるんぱが、最初から幼稚園に行っていたとしたら、こんなに何回もしょんぼりしなくて済んだのでしょうか？　私はそうも思いません。砂場で大きな山を作りすぎたり、ブランコで背中を力強く押しすぎたりして、「もう　けっこう」って言われてしまったかもしれません。それにこどもたちを魅了する大きなビスケットや大きなお皿も作っていないですしね。

「もう　けっこう」と言われ続けたぐるんぱがほんとにがっかりしてしまったように、上手くいかないこと続きで、自分の居場所はどこにもないのだと思ってしまったら、そんなときこそ、思い出してください。

大切なのは、自分が出会った人たちが世界の全てじゃないってこと。学校のクラスや部活、塾の友達までみんな上手くいかなかったら、自分は誰とも上手くやれないのだという気持ちになってしまうけれど、本当に本当に少しの人たちと上手くいかなかっただけなのです。学校に通っている間は、特に出会う人の幅が狭いものです。

例えば、学校のクラスには殆ど同じ年齢の人しかいません。全く同じ年齢の人としか関わらない環境って人生を通してみるとかなり珍しいのです。それこそ、偶然に出会って同じ年齢だとそれだけで仲良くなるきっかけにできちゃうくらいだと思います。

ちょうど14歳2回分を生きた28歳の私が今、仲良くしている友達の中で、ぴったり同い年の人は多くありません。でも、14歳の頃を思い返すと、14歳以外と仲良くすることなんて想像もできませんでした。

ぐるんぱは、確かに色んな仕事を試したけれど、世界には、「びすけっとや」と「おさらつくり」と「くつや」と「ぴあのこうじょう」と「じどうしゃこうじょう」しかないわけじゃないですよね。車に山積みにできるくらい、色んな場所で上手くいかなかったとしても、それでも他にいくらでも行き先があるのがこの広い世界です。

でも、居場所がないと悲しかったり、寂しかったりします。

だから、しょんぼりがっかりしながらも新しいことにチャレンジして、前に進める自分そのものが唯一無二の自分の居場所なのだということを忘れないでください。誰かに好かれなかったからといって、自分はダメなのだと思ってしまうと、本当に居場所を失ってしまうのです。

その場で求められていることじゃなかったから評価されなかっただけで、プールにできるくらいの大きなお皿を作れることもみんなで分けられるくらい大きなビスケットが焼けることも本当はすごいことですよね。しかも、ぐるんぱはピアノを弾いて、こどもがたくさん集まってくるような歌まで歌えるのです。ぐるんぱの「いつも　ぶらぶらしている」ところや「ときどき　めそめそなく」ところしか見ていなかったぞうたちは、ぐるんぱにこんな素敵なところがあることを知っていたでしょうか。多分知らないでしょうし、ぐるんぱ自身もしょんぼりしているときには、その美点に全く思い至らなかったと思います。

あなたと仲良くしたくない人は、多分あなたの素敵なところを十分に知りません。他の人があなたの素敵なところに気づいていないという事実は、断じて、あなたに魅力があることを否定することではありません。ただ、その魅力に気づかない人もいるという意味にしかならないのです。もちろん、あなた自身が気づいていないこともたくさんあるでしょう。

そして、自分に合わないところにいた時間は、まるきり無駄になってしまうわけでもありません。ぐるんぱの作った特大サイズのものたちも思っていたのとは違う形で役にたちました。成功した体験も失敗した体験も、さほど得るものは変わらないのだと思います。ただ少し、包装紙が違うだけなのです。

そして、いつか心から自分の居場所だと思える場所にたどり着いた後もずっと覚えていてほしいことがあります。

きっと、あなたが今いる、その場所にも他の人が訪れる機会があるでしょう。人間関係は水のようなものです。

一見、注ぎ込む水も流れ出る水もないように見える小さな池であっても、蒸発したり、雨が降ったりして少しずつ入れ替わっているように、小さな人間関係でも完全に変わらないものはありません。自分と合わないなと思ったり、理解できないなと思ったりする人に出会う機会は、減ることはあっても、なくなることはありません。私たちは理解されなくて寂しいなと思う可能性があるのと同じように、誰かに寂しいなと思わせてしまう可能性を持っています。

そうの場合は「そうだから大きなサイズのものを作ってしまうのだな」と分かってあげられるような優しい人でも、人間同士だと見た目のサイズがそんなに変わらないから、ついつい全員が同じように生きられるような気がしてしまうことがあります。でも、人の内面は、時に、ぞうと人間くらい違うものです。人によってできることも違うでしょう。もしかしたら、こどもがかくれんぼできるくらいに大きな靴を作ってしまうような人に出会うかもしれません。必ずしも、仲良くしてあげてほしいというわけではありません。ただ、そういう人もいるということを知っていればいいのだと思います。人間の足に合うような靴が求められるのは、あくまで靴を求める人間の都合であって、それが唯一無二の正解なわけではありません。自分の生きている場所の基準とは離れた人も同じ世界に存在していて、同じように生きています。どうか、これを読んでくれたあなたが、誰かに評価されないことで自分のことをダメだと思わないでほしいのと同じくらい、自分の評価基準と違う人のことをダメだと思わないでくれたらと願っています。

篠原かをり（しのはら・かをり）

動物作家。昆虫研究家（専門：昆虫産業）。慶應義塾大学SFC研究所上席所員。日本大学大学院芸術学研究科博士後期課程在籍中。幼少の頃より生き物をこよなく愛し、自宅でネズミ、タランチュラ、フクロモモンガ、イモリ、ドジョウなど様々な生き物の飼育経験がある。著書に『恋する昆虫図鑑～ムシとヒトの恋愛戦略～』（文藝春秋）、『LIFE――人間が知らない生き方』（共著／文響社）、『ネズミのおしえ』（徳間書店）など。またTBS「日立 世界ふしぎ発見！」ミステリーハンター、日本テレビ「嗚呼!!みんなの動物園」動物調査員など、テレビやラジオでも活動。

友だちの話を聴けているだろうか？と不安になったとき

作家・インタビュアー
尹雄大

『モモ』
ミヒャエル・エンデ［著］、
大島かおり［訳］
岩波少年文庫

ミヒャエル・エンデ『モモ』は1973年に出版されたというから、みなさんにとっては遠い昔の古びた話に思えるかもしれません。ですが、世界中でいまだに読み継がれているということは、色あせない魅力があるからでしょう。

この本は児童書という扱いになっています。けれども14歳でも、いやそれどころか大人もじゅうぶん読める内容ですし、むしろ大人こそ読むべき本かもしれません。というのも、『モモ』には私たちが生きている社会で当然だと思われていること——お金を稼ぐとか効率よく仕事をするだとか――が本当のところはどうなんだろう？　と問うているからです。
　実際、エンデはお金や経済について考え、そのことについても本を書いています。機会があったら読んでみてください。実は『モモ』もお金や働くことについて書かれているのですが、ここでは物語の前半で取り上げられる、私たちが互いに交わす言葉の働きについて記されたところを取り上げます。

　ある街の廃墟となった円形劇場に「きみょうなかっこう」をした、その上「くしゃくしゃにもつれた」髪をした女の子が住み始めます。彼女の名はモモ。どこからやって来たのかわからないし、自分の年齢も知りません。数というものを知らないのです。だけど素晴らしく美しい目をしていて、それに引き込まれたのか、モモと出会った街の人々はなぜかしら自然と彼女の面倒を見るようになります。やがて街の人たちはモモに話を聞いてもらいたくてたまらなくなります。モモの頭が抜群によくて何事にも正しい判断ができたからではありません。未来を予言したわけでもありません。モモはただ

「あいての話を聞くこと」だけをしていました。そんな簡単なことならやっているよ、と思うかもしれません。エンデはこう書いています。

「ほんとうに聞くことのできる人は、めったにいない」

それが証拠にモモに話を聞いてもらうと「ばかな人にもきゅうにまともな考えがうかんできます」「どうしてよいかわからずに思いまよっていた人は、きゅうにじぶんの意志がはっきりしてきます」といったことが起こります。モモが考えを導いたわけでもなく、彼女は静かに座り、「注意ぶかく聞いているだけ」です。ここが大事なところです。モモはみんなの話を「それはいいね」「そんなんじゃダメだよ」「もっとちゃんとしなきゃ」と良し悪しや正しいとか間違っているという判断をまったくすることなく、ただその人の言い分を最後まで静かに聞き届けているのです。それがどうして人々に思いもつかなかった考えや決断をさせることになったのでしょうか。それは児童書だし子どもに夢を持たせるおとぎ話だからというわけではなく、ここでの出来事は本当のことだと思います。

私はインタビュアーで人の話を聞く仕事をしています。大学教授や政治家、アーティスト、スポーツ選手といった名の知れた人だけでなく、いわゆる普通(ふつう)の人たちの話も聞いてきました。モモと同じというわけではありません。ですが、経験的にわかるのは、私が相手の話を善悪や正誤でジャッジしないとき、その人は本当のことを言う勇気を持ちはじめ、これまで発揮していなかった能力を働かせる。そんな現象が起こるということです。私が少しモモに似ているとすれば、じっと座り黙(だま)って話を聞くところです。

相手にとって私は鏡になっているのかもしれません。鏡は何を映すでしょう。あなたが鏡に向かうとき、映っているのは果たして誰(だれ)ですか。そんなの自分に決まっている。そう思うなら鏡に向かって右手を挙げてみてください。自分にそっくりなその人は左手を挙げます。

鏡に映るその人はもっとも私に近くて、だからこそ私から遠い人です。そこにいるのは、いちばん身近な「他者」です。よくわかっているようでわからない人。

私たちにとって友だちは鏡のような存在ではないでしょうか。すごく話が通じて楽しいと思うとき、よくよく観察すると、友だちの中に自分と似た姿を発見していないでしょうか。逆に仲良くなる気にならない人がいるのは、その人の中に自分と同じ嫌なところを見つけてしまうからでしょう。相手の中に自分を見ているのです。

鏡は曇っているよりもきれいな方がよりくっきりと映ります。そういう意味ではモモのように良いとか悪いとか言わない人は、ただ肯定してくれるだけの優しい人というわけではなく、自分のありのままを映し出してしまうから、怖い存在でもあります。

共感を求め肯定を期待するとき、そこには自分の見たいものしか映っていません。でも、肯定も否定もしない鏡はありのままを映す。静かに話を聞く人の前では、自分の隠していたものまで映ってしまう。だからそういう人の存在は、本当のことを知る上で大切です。

私は大学生になるまで友だちがいませんでした。20歳になって初めて友だちができ、卒業して今に至るまでずっと友だちです。

社会に出たばかりの頃、何もかもうまくいかず将来どうしたらいいか悩んでいたことがあります。やりたいことも漠然としている。できることが何かわからない。何者かになりたいのだけど、それが何かわからない。大人に相談しても「なんでもいいからしばらく黙って働けばいい」と言われました。それも一理あります。頭の中でいろいろ考えたところで何にもならないのだから、とりあえず身体を動かしてみれば、なんであれ結果は出る。確かにそうだと私も思いました。でも、わかっているけれど、とりあえず何かする気にならないのです。焦りが強過ぎて空回りしている状態でした。

私は友人に長い時間をかけて自分の悩みについてしゃべりました。うまくしゃべれたとは到底思えません。友人は良いとも悪いとも言いませんでした。後日、彼から手紙が来ました。そこにはこう書かれていました。「いまはまだ機が熟していないだけかもしれないぞ。友よ、悠々として急げ」

読み終えて不思議な感じがしました。それこそ「まともな考え」が浮かんだわけでも「きゅうにじぶんの意志がはっきり」したわけでもありません。ただ、息がしやすくなったのです。

「悠々として急げ」とは矛盾しています。ゆっくりと早くなのですから。そのときの私は世の中からすれば、「もっとちゃんとしろ」と言われるような生き方をしていました。

世の中のことはともかく、おまえにはおまえの時間の流れというのがあるだろう。悠々と急ぐの「あいだ」におまえの生きている価値があるんじゃないのか?と言われている気がしました。彼がそう言ったわけではなく、私は彼という鏡を通して、そのように自分を読み取ったのだと思います。正しいかどうかよりもいまの自分が心から納得（なっとく）がいくことをするしかない。そうして初めて自分の選んだことへの責任を自覚するのだと思います。

私は誰かの話を聞くとき、世の中の価値観や私の個人的な考えに基（もと）づいて耳を傾（かたむ）けていないだろうかと注意しています。『モモ』に書かれていることが本当のことだと思えたのは、初めてできた友だちが私に接してくれた態度を信じられたからだと思います。

だからもし本当に友だちの話が聞けているか不安になったとき、思い出してください。「注意ぶかく聞いているだけ」のモモの姿を。

尹雄大（ゆん・うんで）

1970年兵庫県神戸市生まれ。作家、インタビュアー。関西学院大学哲学科卒業。テレビ制作会社勤務を経てライターになる。主な著書に『聞くこと、話すこと。――人が本当のことを口にするとき』（大和書房）、『つながり過ぎないでいい――非定型発達の生存戦略』『さよなら、男社会』（ともに亜紀書房）、『異聞風土記』（晶文社）など。近年は一般の方の話を聞くインタビューセッションを行っている。公式サイト：https://nonsavoir.com/

「世界で一番自分がつらい」と感じたとき

作家
武田綾乃

『ブレイブ・ストーリー』
宮部みゆき
角川文庫

この物語を読まずして大人になるのは、あまりにももったいない。世界を憎みそうになったときは、『ブレイブ・ストーリー』があることをどうか思い出してほしい。

友人関係に悩み、将来に不安を抱いて迷う思春期の10代に読んでほしい物語と考えたとき、まず頭に浮かんだのが『ブレイブ・ストーリー』でした。私が初めて読んだのは、

15歳の頃。分厚い上中下巻の長編小説だったにもかかわらず、圧倒的な面白さに瞬時に引き込まれ、夢中になって読み耽りました。大人になった今あらためて読み返しても最高に面白い読書体験を味わえますが、主人公と同じ10代のうちに読んでおくと〝刺さり方〟の深度がまったく違うはず。刊行は２００３年ですが、時を経てもまったく古びない大傑作ファンタジーです。

主人公の三谷亘は小学5年生の男の子。成績はまあまあ。親友はお調子者だけれども気のいい幼馴染のカッちゃんで、初恋はまだよくわからない。仕事に忙しくて理屈っぽい父と、几帳面でちょっと厳しい母の3人暮らし。理詰めで考えるのが好きで、思ったことを口にすると「小生意気だ」と大人に嫌がられることも多い。最近は、近所の建設中のビルに幽霊が出る噂、それから大人びた転校生の芦川美鶴が気になっている……。

そんな亘少年の平凡な日常は、両親の突然の離婚によって一変します。家を出ていく父。取り乱して現実を直視できない母。父親に捨てられる子どもの恐怖と絶望が、泣きたくなるほど切実なリアルさで文章から迫(せま)ってきます。

このときの亘は、おそらく「自分は世界で一番不幸な子だ」と感じていたのでしょう。ところが、そんな亘の事情を知った転校生の美鶴は、驚(おどろ)くほど冷ややかな言葉を投げつけてきます。

打ちひしがれながらも運命を変えたいと強く望んだ亘は、美鶴に導かれるように、現実世界とは異なる〝幻界(ヴィジョン)〟につながる扉(とびら)から異世界へ。そこから、少年たちのめくるめく大冒険(だいぼうけん)が始まります。

『ブレイブ・ストーリー』は緻密(ちみつ)で壮大(そうだい)なファンタジーであると同時に、主人公である亘と美鶴の友情物語でもあります。

ふたりの関係性は、わかりやすい友情とはちょっと違う。亘は大人びた美鶴に興味を惹(ひ)かれ、近づこうとしますが、現実世界で過酷(かこく)な目に遭(あ)ってきた美鶴は冷たく突(つ)き放(はな)して距離(きょり)を保とうとする。

亘とカッちゃんのようなわかりやすい友情ではない。でも、もしかすると仲良くなれるかもしれない可能性の種が実はあちこちに埋まっている。そんな10代ならではの不器用で独特な距離感とその変化が、長い冒険を通じて丁寧に描かれていきます。

「自分と他人は、感じていることが全然違うんだ！」

私がはっきりとそう実感したのは、亘と同じ小学5年生のときでした。

それまでの私は、「私が楽しいときは、みんなも楽しい」と疑うことなく信じている子でした。でも、たまたま読んでいた本にあった「私にはすごく短い時間に感じられたけど、仲良しのあの子には長く感じたんだろうな」との一節を読んだ瞬間、衝撃が走りました。

私と、私以外の人間は、違うことを感じているんだ。私が楽しいときに、隣にいる子は楽しくないと感じていることだってある。そういう人たちがたくさん集まって、この世界は存在している。

そう気づいて以来、私は友だちとのコミュニケーションが少し怖くなりました。以前のようにズケズケとは話せなくなって、ほんの少し人見知りになってしまった。10代が難しいのは、「自分と他人は違う」と気づいて臆病になる子と、まだ気づいていない子が教室の中で交ざり合っているからなのかもしれません。視点をずらせば、世界は違って見える。隣にいる友だちは、自分とは違うことを考えている。そうした事実を凝縮させ、物語にしているのも『ブレイブ・ストーリー』の魅力です。

人生は理不尽だし、社会には格差がある。

残念ながらそのことは紛れもない事実です。幼い子どもであっても、おそらく言葉にできずともうっすらと感じ取っているでしょう。

子どもの努力が正当に評価されるのは、環境が整っているからです。どれだけ頑張っても、生まれ育った環境が努力することを許してくれない子が現実にはたくさんいる。

公立校で育った私は、10代のときにそう気づかされました。自分の才能なんてたいしたことはなくて、環境が及ぼす影響力のほうがずっと大きい。それでも、与えられたカードでまずは戦うしかないんだ。『ブレイブ・ストーリー』の亘も、そして美鶴も同じです。現実世界に絶望して異世界に飛び込んだのに、そこでもさまざまな理不尽と悲嘆を味わうことは避けられない。それでも、勇気を振り絞って目の前の壁を乗り越えていくしか道はない。

私は、10代は「爪を研ぐ季節」だと思っています。

日々を生きていくのは、楽しいことばかりじゃない。その現実が少しずつでも見えてきたのであれば、自分で自分の爪を研ぎ、闘いに備えていくしかない。

中高生ともなれば、「文化祭や体育祭なんてバカバカしい」と斜に構えたくなる気持ちを抱く人もいるでしょう。私がそういうタイプでした。でも、過去に戻れるのであれば、「いやいや、楽しむ訓練をしておきなよ！」とあの頃の自分に声をかけたい。なぜなら、受け身のままで誰かが楽しませてくれるのを待っていても何も起こらないことをもう知っているから。でも「楽しもう」と思って自分から動き出せば、楽しいことが起こる確率は必ず上がります。

友人関係も同じで、10代のうちに爪を研いでおくことをお勧めします。友だちの言動に傷つき、自分も誰かを傷つけながら、それでも人を許すことを今からたくさん練習しておいたほうが絶対にいい。その経験が、大人になってから必ず自分自身を助けてくれるはずです。

ただし、ひとつだけ友情に関して気をつけてほしいのは、あなたの尊厳を守ってくれない友だちとは付き合わなくていいということ。

「親友だから」と理由をつけて、あなたを自分のいいように動かそうとする人とは、できるだけ距離を取ってください。それは友情ではなく、ただの利用です。そして、一度そうやって付け込まれると、似たような目的で近寄ってくる人がどんどん増えていきます。

ちょっと考えてみてください。1つのクラスに30人いるとして、全員の性格が悪いなんてことはありえないですよね？　気が合う子もいれば、合わない子もいる。性格がいい子もいれば、悪い子もいるのが普通。

だから、誰かひとりと無理に付き合い続ける必要なんて本当はどこにもない。対等に向き合える相手、他者の尊厳を軽々しく傷つけようとしない相手を大切にして、自分の心をしっかり守ってあげてください。

教室に友だちと呼べる相手がいないときは、部活や習いごとのような教室の外で探してみるのもいいかもしれません。「親友がほしい」と思い悩んで無理をするよりも、素の自分でいられる居場所をまずは大切にしたほうが、きっと呼吸がしやすくなるはず。

だから、心が闇落ちして世界を憎みそうになったとき、ぜひ『ブレイブ・ストーリー』を読んでみてください。架空の物語に描かれた友情や勇気の形に触れることだって、人生の予習や練習になってくれるはずです。

世界を変えられなくても自分を変えることはできるし、自分が変われば、世界の見え方もほんの少し良いほうへと変わっていく。

最後の最後に自分を幸せにしてくれるのはやっぱり自分しかいない。

シビアだけれどもあたたかな眼差しに満ちた『ブレイブ・ストーリー』は、そんなふうに人生に大切なあらゆることを教えてくれます。

武田綾乃（たけだ・あやの）

1992年京都府生まれ。2013年、日本ラブストーリー大賞最終候補作に選ばれた『今日、きみと息をする。』で作家デビュー。同年刊行した『響け！ ユーフォニアム』はテレビアニメ化され人気を博し、続編多数。2021年、『愛されなくても別に』で吉川英治文学新人賞を受賞。その他の作品に「君と漕ぐ」シリーズ、『石黒くんに春は来ない』『青い春を数えて』『その日、朱音は空を飛んだ』『どうぞ愛をお叫びください』『世界が青くなったら』『嘘つきなふたり』などがある。

本当に友だちは必要なんだろうか？と思ったとき

評論家
三宅香帆

『最愛の子ども』
松浦理英子
文春文庫

あなたに大切な友だちはいますか？

私が14歳だった時、友だち、という言葉に対して、どういう意味と捉えていいのか分からなかったことをよく覚えています。

友だちはいたのです。教室や、塾や、部活で、友だちはいました。でも、それぞれの友だちに、どれくらい自分が信頼していいのかよく分からなかった。信頼、というと重い言葉ですが、もっというと、友だちにどれくらい体重をかけていいのか分からなかったのです。

とはいえ、私は友だちとたくさん当時喋(しゃべ)っていました。親よりも恋人(こいびと)よりも友だちに自分のことを打ち明けていた。長電話もメールもたくさんしていました。自分の思想や日常や好きなものについて、深く長く、喋っていました。そのなかで日常の鬱屈(うっくつ)も喜びもたくさん共有していました。

でも一方で、友だちだからって、なにもかも話せるわけでもなかった。というか、今自分が考えていることすべてを話してしまうなんて、相手からしたら「重い」のではないだろうか？　と思っていたのです。

友だちだから感じていることを全部話すとか、言いたいことを全部言えるとか。そんなの、ドラマや漫画(まんが)の中だけだ。現実の世界では、もっとちゃんと友だちに遠慮(えんりょ)しなくてはいけない、気を遣(つか)うこともたくさんあるんだ。そう感じていたのです。

だったら、友だちなんて必要なんだろうか？　そんなふうに思っていたことも、ありました。

松浦理英子さんの『最愛の子ども』という小説をはじめて読んだ時、私は当時の感覚をふっと思い出しました。

この小説の主人公は、女子高校生です。もしかしたらこれを読んでくれているあなたより年上かもしれませんね。日夏、真汐、空穂。この三人を中心に物語は動きます。

最初は文体に少し面食らうかもしれません。なぜならこの小説は、すべて「彼女たちのクラスメイトから見た視点」で語られているから。普通の小説は、一人称――つまり主人公が「私は」「僕は」といったかたちで語るか、三人称――「●●はこう述べた」「△△は泣いた」などカメラ視点からの語りで進行するか、どちらかだからです。しかし本書の場合は、クラスメイトから見た主人公の少女たちの日常が描かれています。文体は読んでいるうちに慣れますので、こういうものなんだな、と受け入れつつ読んでもらえたら嬉しいです。

仲の良い女子高校生三人組――日夏、真汐、空穂は、教室で「ファミリー」を結成しています。日夏が「パパ」で、真汐が「ママ」、そして空穂が「王子」です。そんな役割分担をお互いに課しながら、彼女たちは高校での日常を過ごしていくのです。

本書の特徴は、彼女たちがそれぞれ大人から望まれるような少女ではないこと。たとえば、小説はこんな書き出しで始まります。登場人物のひとりである、真汐が学校の作文で書いた文章です。

> 女子高校生らしさとは何かというテーマで作文を書くようにと言われましたが、正直、いったい何を求められているのかわかりません。私は別に女子高校生になりたくてなったわけではなく、単に時期が来たので進学しただけです。自分が女子高校生であることに大した意味はないと考えています。

……学校の作文をこんな書き出しで始める女の子は、たしかにちょっと、いや、かなりひねくれていますよね。真汐は親からも先生からもあまり可愛がられていません。しかしそれは可愛がられるような態度を取っていないからだ、と真汐は自分で分かっているのです。

ですが真汐は、自分自身にも、世間にも、苛立ちをずっと抱えています。不器用で、傷つきやすい、そんな自分がこの先社会で生きやすくなるとは到底思えないから。
唯一、真汐を肯定するのは、友だち――日夏なのです。日夏はクラスメイトからこう語りかけられます。

「真汐にさあ、要領よく生きて行く術を教えたらどう？　夫として」
「あの子はね、あの意固地なところがたまんなくいいの。中等部の頃からね」

日夏は、真汐の「意固地なところ」がいいのだ、と明快に答えます。
そう、彼女たちの「ファミリー」つまりは教室で作られた少女たちだけの関係性は、彼女たち自身の欠落を、ただ唯一、肯定してくれるのです。

……なんだか抽象的な説明になってしまいましたね。しかし私が14歳の時に抱えていた「本当に友だちなんて必要なんだろうか？」という問い。その答えがここにあったのです。

そう、『最愛の子ども』という小説が提示している関係こそが、14歳の私にとって「友だちが必要だった理由」でした。

詳しく説明しましょう。

『最愛の子ども』を読んでもらえたら分かる通り、真汐は親からも先生からも気に入られていません。そして異性からも愛されているわけではない。なぜなら、自分が世間に愛されるような振る舞いをしていないからだ。そう、真汐は思っています。

愛嬌とか、コミュニケーション能力とか、可愛げとか、そういったものがなければ、世間には愛されない。まっすぐで、素直で、正しくなければ、この世はなんて生きづらいのだろう。

真汐はそう感じています。

そして友だちの日夏や空穂も、少なからず、実はとても不器用です。世間や親に従っておけばいい場面で、どうしても抵抗してしまう。どうしても、誰かの言う通りに、社会の望む形に、なることができない。

だけど、彼女たちは、彼女たち同士で、居場所をつくるのです。

世間や親や異性から肯定されない性格を、女友だち――たとえば真汐の場合、日夏だけは、肯定してくれる。「あなたはそこがいいのだ」と呟いてくれる。それは日夏の場合も同様です。世間から歓迎されない性格を、真汐だけが「あなたはそのままでいてほしい」と言ってくれるのです。

それは、この世界にいていいんだ、と思える瞬間そのものです。

大人になれば、案外生きづらくてもそのまま生きていける道はあることに、気づきます。真汐のように「愛嬌や可愛げがない」人間であっても、問題ない道はたくさんあります。しかし、子どもの頃は、そのことに気づきづらい。教室の中で、家族の中で居場所がなければ、もう、大人になっても居場所なんてないのだ、と思い込んでしまう。

そんな時、友だち同士であれば、居場所をつくることができる。相手を、そのまま肯定することができる。「あなたはそのままでいいのだ」「あなたは世間に合わせる必要なんてないのだ」と、伝えることができる。

考えてみれば、私は友だちにそういう言葉を、たくさんもらっていたような気がします。――当時はそれに、気がつかなかったけれど。私は私のままでいていいのだと、14

歳の私は誰よりも友だちに、肯定してもらっていたのです。今思うと。

友だちがいたところで、悩みのすべてを打ち明けられるわけではないでしょう。それは真汐たちの関係性もそうです。友だちがいるからこそ、むしろ悩み事が増える場合もある。

だけど、それでも。10代の時、友だちから肯定してもらったことが、たしかに支えになっていたなあ、と私は思うのです。

世間や親や先生や異性から肯定されなくても。私は、あなたのことを肯定するよ。その言葉をかけられるのが、友だちだったりするから。やっぱり、友だちも必要だったんだな。と、私は当時を振り返って思います。

なんで友だちがいたほうがいいんだろう。友だちって必要なんだろうか。そんな疑問を持った時、ぜひ、『最愛の子ども』を読んでください。きっとその答えが、本の中にあるはずです。

三宅香帆（みやけ・かほ）

１９９４年高知県出身。評論家。京都市立芸術大学非常勤講師。京都大学大学院人間・環境学研究科博士後期課程中退。ＩＴ企業勤務を経て、２０２２年に独立。雑誌・書籍・ＷＥＢメディア等で、エンタメから古典文学まで、評論や解説を幅広く手がける。〝働きながら本が読める社会をつくる〟をミッションに、働き方や文化的な生活の技術についても発信、講演を続けている。著書に『文芸オタクの私が教える　バズる文章教室』『（萌えすぎて）絶対忘れない！　妄想古文』ほか多数。

ともだちと価値観が合わないと感じたとき

アナウンサー
宇垣美里

『本屋さんのダイアナ』
柚木麻子
新潮文庫

〝ともだち〟って、何だろう。秘密なしに何でも話せる相手のことだろうか？　おそろいのものを持っている人？　一緒に昼ご飯を食べたり、学校から帰ったりする間柄？　よく分からなくなって思わず辞書を開くと、〝同じ学校にかよったり、行動をいっしょにしたりする、なかま。友人。とも。〟とあった。であれば学校が違えば、行動を一緒にしないと、ともだちじゃないってこと……？

いいえ。私にとってともだちとは、ふとした時に会いたいな、おしゃべりしたいな、と思える人のことだ。自分の年齢も職業も肩書も全部忘れて、ただの１人の人間としていられる空間を作ってくれる人のこと。たとえ今は遠く離れていても。どうしたって、分かり合えない瞬間があったとしても。そう、たとえば『本屋さんのダイアナ』（柚木麻子）のダイアナと彩子のように。

小学生ながらキャバクラ勤めの母によって髪を金色に染められた彼女の名前は「大穴」と書いて「ダイアナ」。風変わりな名前や大きな目にパサパサの金髪といった派手な容貌のせいで同級生からからかわれ続け、孤独だったダイアナを救ったのは、小学三年生のクラス替えで出会った彩子だった。キャバクラで働く母が16歳で産んだダイアナと、丁寧な暮らしを心掛ける裕福な夫婦のもとで大切に育てられてきたお嬢様の彩子。正反対の環境で育ってきた二人が親友となったきっかけは「本が好き」という共通点があったから。互いに相手の持つ自分にはない魅力に憧れ、多くの物語を共に楽しむうちにいつしか腹心の友となるものの、彩子の中学受験をきっかけにすれ違い、２人はけんか別れしてしまう。

ダイアナと彩子、２人の女の子が小学生から大人になるまでの15年間を描いた長編小説である本作。交互に描かれる2人の成長の過程に共感し、絞り出すようなそれぞれのセリフに何度も心を摑まれた。特に彩子が大学生になってから直面する困難には、女が女として生きていく上で未だに立ちはだかり続けるものを感じ、そのリアリティには言葉を失った。（大学は多くを学び、経験するためのすばらしい場所だが、残念ながら精神が成熟していない愚か者も潜んでいる、ということは忘れないでほしい。）それでも、年下の存在にかつての自分を重ね、同じ思いなどさせてはなるものかと立ち上がる彩子の姿に、女同士手を取り合えばどんな障壁をも乗り越えていけると希望を感じている。古今東西の少女小説のエッセンスがちりばめられていて、読み進めるごとに次に読みたい本がどんどん増えていくのはご愛敬。

まったく違う相手と本をきっかけに無二の親友になる、だなんて本好きにとってはまさに憧れのシチュエーション。そういえば、この小説を教えてくれたのは、小学校時代からの読書仲間であった。図書委員の活動をきっかけに友人となった彼女とは、就職のために私が上京してからはどんどんと疎遠になってしまい、たまに連絡こそとるものの、もう長らく会えていない。人生観や仕事に対する姿勢の違いが明確に露呈してしまったことも理由のひとつにあった。それでも、今でも大切なともだちだ。

　私の思う青とあの子が思う青が本当に同じかなんて分かるわけがないように、同じ景色を見ていてもどこを観るかなんて人によってまるで違うみたいに、人はどこまでいってもずうっと孤独で、他者との間には細くて深い溝が存在していて、そこを越えて本当の意味で分かり合えることなど、できるわけがないのだと思っている。

　彼女とも、何度も互いの考えを切々と説明し合ったのに、その論理は理解できても、価値観が合うことはついぞなかった。友人関係って、すごく楽しい一方で同時にすごくむなしくて報われない。けれどきっとそれは悪いことじゃない。

　ある一点において一生分かり合えなくて、どうして分からないんだと互いに引けずケンカに発展することだってあった。その事実をお互い嫌というほど理解しながら、それはそれとしてやっぱり大切なのだと目をつぶったり、言葉を飲み込んだり、互いに少しずつ相手の考えに寄り添い調整しようとすることが、きっと広い意味での愛なんだと、今は感じている。

　共に楽しんだ本が映画化されると、この改変に彼女は激怒しているだろうなあと思わずニヤリ。コンビニであの子が好きだった紙パックに入った甘ったるい紅茶を目にすれば、躊躇なく大量のカロリーを摂取していた学生時代が蘇る。目上の人からの理不尽な物言いに、教師の性差別的な発言にブチ切れて授業中に席を立った彼女の背中を思い出し、あの子なら絶対にこの無礼を赦しはしないはず、と立ち向かう勇気が湧いた。ああほら、こんなにも心の中に居る。まだ柔らかく未熟であったあの頃に出会い、学校や部活で毎日のように顔を合わせながらゆっくりゆっくり築いた関係と、その頃に形成した心の根っこの部分はずっと変わることはない。だから、あの日々を共に過ごした親友と、真に別れる日など、永遠に来ない。

ま、そんな重苦しく考えなくても、一緒にごはんを食べたり、何気ない話を永遠におしゃべりしたりするのが楽しくて、また会いたいなあとほくほく思える相手こそが、きっとともだちなんだと思う。

漫画『恋愛的瞬間』（吉野朔実）の中で、友情についてこのような記述がある。いわく、〝友情は相思相愛でありながら　抵抗によって達成出来ない疑似恋愛関係〟。たとえば同性であるとか、既婚者であるとか、性格はあうけど見た目がタイプではないとか……それらの抵抗があるにもかかわらず、気持ちのベクトルが向き合っている人間関係こそが友情と呼ばれるのだと。それって、一目惚れみたいに自分でコントロールできない性欲に起因する恋愛や、あやふやな血という概念によって結ばれた家族より、ずっとずっとハードルが高くて、尊いじゃないか！

たとえば進学、就職、転校に転職。この先きっと、分身のように思っていたともだちとも道を違えざるをえない日が来るだろう。科学に対する姿勢や倫理観、ちょっとした一言で相手が理解できなくなって、エイリアンのように感じることもあるかもしれない。むしろ大人になればなるほど、どんどんその機会は増えてくる。でもどうか、そのことを恐れないではしい。理解できればともだちなわけじゃない。常に一緒にいることが、ともだちの条件じゃない。分かり合えなくとも、手を取り合うことはできる。

幸運なことに、現代は人と接する機会に溢れている。そして、不幸なことに、人と簡単に繋がれてしまうからこそ、そのひとつひとつが希薄になっているようにも感じる。それならその場所をたくさん作れば、いいのだと思う。好きなものが一緒だったり、年齢や生きている場所が同じだったり。何かひとつでぐっと繋がることのできる場所がいくつもあれば、どこかでギャッと傷つくようなことがあっても、他方で大きく息を吸うことができる。

ただの人間同士になれる場所、ふっと心が軽くなる場所はいくつあっても足りない。何度期待を裏切られても、勝手に失望して傷ついたとしても、私たち人間はやっぱり、人と共に生きていくことしか、できないのだから。

今度、久しぶりにまた彼女に連絡してみよう。「あの本はもう読んだ？」と話題の新刊をきっかけに。家庭に入り親となった彼女と一人暮らししながらバリバリ働く私とは、きっと受け取り方も違うはず。ひとつひとつ違いを数えながら「どうやら生まれた星が違うみたいだ」と笑うのも、存外悪くない。

宇垣美里（うがき・みさと）
1991年兵庫県出身。2019年3月にTBSを退社、4月よりオスカープロモーションに所属。現在はフリーアナウンサーとして、テレビ、ラジオ、雑誌、CM出演のほか、女優業や執筆活動を行うなど幅広く活躍中。TBSラジオ「アフター6ジャンクション2」レギュラー。著書に『風をたべる』『風をたべる2』（フォトエッセイ）、『宇垣美里のコスメ愛』『愛しのショコラ』『今日もマンガを読んでいる』がある。

仲が良かった友だちと疎遠（そえん）になってしまったとき

文筆業・「桃山商事」代表
清田隆之

『拝啓　元トモ様』
TBSラジオ「ライムスター宇多丸のウィークエンド・シャッフル」&「アフター6ジャンクション」編
筑摩書房

友だちに〝元〟をつけた革新的な発明

友人関係について考えるとき、世間ではとかく「うまく行くこと」に価値が置かれがちです。例えば友だちをたくさん作る、良い友だちに出会う、コミュニケーションを円滑（えんかつ）に進める、良好な関係を続ける、こじれた仲を上手に修復する……などなど、そんなふうにできたらいいなって気持ちは誰（だれ）の中にもあるだろうし、「その方法を教えます」

なんて言われたら、ついつい課金したくもなりそうです。

でも、当然ながら友人関係とは必ずしもうまく行くものではありませんよね。誰かと縁あって友だちになれたとしても、揉めごとやすれ違い、マンネリや環境の変化など、なんらかの要因によって関係が途絶えてしまうのも決して珍しいことではない。そんな経験、みなさんにもあったりしませんか？

疎遠になったあの人は、今でも「友だち」と呼べるのか。放置したままになっているあの人とのわだかまりは、一体どうすればいいのか。モヤモヤした気持ちを抱えたまま、あの人と友人関係を続けるべきなのか。そもそも、どんな友情だってずっとは続かないものではないか――。そんな悩みや疑問に直面したとき、ぜひオススメしたいのが『拝啓 元トモ様』（筑摩書房）という本です。

これはヒップホップ・グループ「ライムスター」のラッパーである宇多丸さんがパーソナリティを務める、TBSラジオの人気番組「ライムスター宇多丸のウィークエンド・シャッフル」（2007年~2018年）および「アフター6ジャンクション」（2018年~）の投稿企画を書籍化した一冊で、「疎遠になった友達――元トモ」がそのコーナー名でした。特筆すべきは何と言ってもネーミングの妙で、別れた恋人を意味する「元カレ」「元カノ」を友人関係に転用し、「元トモ」というフレーズを生み出したところがとにかくすごい！

　これによって、「なんとなく離れてしまった友だち」とか、「一時期すごく仲良しだったけど今はもう会わない友だち」とか、それまで明確に指し示す言葉のなかった存在に輪郭が与えられ、ひとつのテーマとして扱うことが可能になりました。また逆に、元トモという言葉を知ったことで忘れていた記憶の扉がいきなり開く、みたいなことも起こりうるかもしれない。ほろ苦いはずの記憶をポップに表現できちゃうその語感も素晴らしいし、このフレーズ自体が「友情にも終わりがあるのだ」という提言になっているところもめちゃくちゃイノベーティブだと思う。もはやこれは、言葉の発明であると同時に〝概念の発見〟ですらあり、「くそっ、俺が思いつきたかった！」と、言葉を仕事にする身として激しい嫉妬心すらわき起こるほどの衝撃でした。

友情の終わりは様々なところに潜んでいる？

この本には、番組リスナーから寄せられた元トモ体験の数々が収録されています。例えば卒業を機に仲良しの友だちと疎遠になったり、受験をきっかけに友だちと歩む道が分かれてしまったり、友だちのだらしなさに愛想を尽かして縁を切ったり。また、高校時代からの付き合いだった友だちと、貸したお金をめぐって仲違いしてしまったエピソードや、高校で親友と呼べる友だちと出会ったことで、幼馴染みとの関係に違和感を抱くようになってしまったエピソードなんかも印象的でした。

さらには、背伸びして付き合っていた友だちとの関係に疲れてしまった人、幸せそうな友だちに嫉妬して自ら距離を取ってしまった人、親友がネットワークビジネスにハマったことで関係が切れた人なんかもいて……引っ越しにクラス替え、転校や上京、失恋に結婚、ケンカ、高校デビュー、理由なき音信不通など、この本を読んでいると、友情が終わるきっかけはあらゆるところに潜んでいるものだと痛感させられます。

私にも、これを読みながら思い出された人が少なからずいました。小学生のときはいつも仲良し4人組で行動し、毎日のようにゲームやおもちゃで遊んでいたにもかかわらず、別々の中学に通った3年間を経て再び高校で一緒になったときには、趣味もノリも合わなくなっていてすっかり気まずくなってしまったSくん。中2のときのクラスメイトで、その独特なファッションや笑いの感覚に強烈な憧れを抱いていたものの、後に彼のセンスの大半が流行りの雑誌やお笑い芸人からの丸パクリであったことが判明し、勝手に興ざめして段々とつるまなくなっていったUくん。

高校時代にしょっちゅう長電話で悩み相談していたOさんとも、毎日一緒に自習室で勉強して浪人時代を共に乗り越えたTくんとも、社会人でありながら休日ずっと競馬ゲームに付き合ってくれていたH先輩とも、友情の終わりを感じる瞬間が確かにあった。そう認めることには一抹のさみしさや受け入れ難さがあるけれど、彼ら彼女らの存在は、元トモという言葉がやっぱり一番しっくりくるかも……と認めざるを得ません。

友人関係にまつわる自由と孤独

さて、いかがでしょうか。みなさんにも元トモと聞いて思い浮かんだ顔はあったでしようか？　私がこの本をオススメしたのは、何も「友情なんて儚いものだ」と脅したいからではありません。そうではなく、「いつか終わりうるものなのだ」と意識することは、友情について深く考えることにつながると思うからです。

14歳と言えば、すでに卒園や卒業を経験し、引っ越しやクラス替えといったイベントも何度か通っているはず。また思春期の真っ直中にあり、心と身体、趣味や思考回路など、自分自身が激しく変化している時期でもあると思います。そういう状況下において、友だちと話が合わなくなったり、いざこざや揉めごとが生じたり、友人関係に不安を抱えていたりと、いろいろなことを日々体験しているのではないかと想像します。

友情にも終わりがあって、今の友だちともいつか関係が途切れてしまうかもしれない。そう考えるのは確かに怖いことだと思います。でもそれは誰にとっても避け難いことで、ある意味ではひとつの真理とも言える。だとするならば、さみしい気持ちを抱えつつ、いったんその事実を受け入れた上で、改めて友だちについて考えてみるのはいかがでしょうか――というのが私からの提案です。

ライムスター宇多丸さんは、本のまえがきでこのようなことを書いています。

人間というものが、絶えず変わってゆく存在であるかぎり、人との関わり方も必然、常に変化・変質してゆかざるを得ない。その意味で、本書に収められた「元トモ」をめぐる物語とは、誰もが大なり小なり必ず経験する、一種の成長プロセスなのではないでしょうか。

逆に言えばそれは、無数の取捨選択の果てにある、我々の「この人生」のかけがえなさを、あらためて際立てもする。

毎読後に訪れる、胸をえぐるような感覚は、ひょっとすると生の豊かさそのもの、なのかもしれません。（『拝啓　元トモ様』まえがきより引用）

終わりについて考えることは、存在していた時間を肯定することにつながると私は思います。確かに幼馴染みのSくんとは高校生になって気まずい感じになってしまったし、浪人時代を共に乗り越えたTくんとも、もしかしたらもう一生会うことはないかもしれない。でも、関係が終わってしまったからと言って、彼らとの友情が希薄だったということになるのでしょうか。……きっとそうではありませんよね。Sくんが乗っていた自転車は今でもはっきり思い出せるし、仲良し4人組でクラスの中心グループを気取っていたあの時間は、私の自意識に良くも悪くも深い影響を与えているはず。また、キャンパスライフを謳歌する同級生たちから取り残されたような気持ちになっていたとき、浮かれた大学生を「バカども」と一刀両断したTくんの揺るぎなさに救われたのは紛れもない事実です（彼はその後、国家公務員になって盤石な人生を歩んでいます）。

あの人と過ごした時間があったからこそ今があるのだと思えることは、自分の存在をより確かなものにしてくれるような気がするし、終わりうるという可能性に思いを馳せてみることは、目の前にいる人との関係をより大事にすることにつながる気もする。また、「どうせ終わるんだし、無理して友だちを続ける必要はない」と思えることは、しんどい人間関係の最中にいる人にとっては救いになるかもしれない。

友だちと疎遠になったときは、縁がなかったとあっさり諦めたっていい。でも、いつか関係を結び直したいときが来たならば、そのとき再び連絡を取ってみてもいい。さみしいけれど、そう考えるとちょっと心が軽くなったりしませんか？　元トモという言葉が教えてくれるのは友人関係にまつわる自由と孤独であり、宇多丸さんの言う〈生の豊かさ〉とは、おそらくそういうことを指しているのではないかと思うのです。

清田隆之（きよた・たかゆき）

1980年東京都生まれ。文筆業、恋バナ収集ユニット「桃山商事」代表。早稲田大学第一文学部卒業。女性誌、文芸誌、カルチャーメディアなど幅広い媒体に寄稿。朝日新聞beの人生相談「悩みのるつぼ」では回答者を務める。桃山商事名義の著書に『生き抜くための恋愛相談』『どうして男は恋人より男友達を優先しがちなのか』（ともにイースト・プレス）、単著に『おしゃべりから始める私たちのジェンダー入門──暮らしとメディアのモヤモヤ「言語化」通信』（朝日出版社）、『よかれと思ってやったのに──男たちの「失敗学」入門』（双葉文庫）など。

人間関係の「そもそも」を考えてみる

「友だち」をどう説明する？

国語辞典編纂者
飯間浩明

『三省堂国語辞典　第八版』
見坊豪紀、市川孝、飛田良文、
山崎誠、飯間浩明、
塩田雄大［編］
三省堂

「『友だち』とは何か」という問いは、国語辞典を作る私にとって大問題です。「友だち」はおそらく、「愛」などとともに、辞書を買った人がためしに調べてみることばのひとつでしょうから。誰かに「友だちのままでいましょう」と言われたとき、「その『友だち』ってどういうこと？」と思って辞書を引く人もいるはずです。

私自身の場合、「友だち」と呼べるのはどんな相手だろうか。現在の私には、仕事仲間はもちろんいます。また、知り合いもけっこういます。でも、「友だち」とは違う気がする。ほんとに、「友だち」って何だろう。

私が編纂に関わる『三省堂国語辞典』第8版（最新版、２０２２年刊）を開いてみましょう。こう書いてあります。

〈**ともだち**［友（達）］同じ学校にかよったり、行動をいっしょにしたりする、なかま。友人。とも。「―づきあい」〉

はたして、この説明は十分でしょうか。「学校の友だち」とは普通に言うから、〈同じ学校にかよったり〉はそのとおりかもしれない。では、〈行動をいっしょにしたり〉はどうでしょう。ちょっと説明があいまいな気がします。行動を一緒にする人といえば、たとえば、タレントとマネージャーがそうです。でも、彼らは「友だち」同士かというと――「友だち」の場合もあるでしょうが――そうでない場合も多いはずです。

『三省堂国語辞典』の初版（１９６０年刊）を見ると、説明が少し違います。

〈**ともだち**［友《達》］（名）学校や志や行動をいっしょにする人。友人。とも。〉

ここには「志」を一緒にする人も入っています。たとえば、「政治改革のため、新しい政党を作ろう」と集まったメンバーなどが思い浮かびます。でも、それは「友だち」

と呼ぶよりも「同志」と呼ぶほうがふさわしい気がします。

　おそらくそんな理由で、「志」の部分は次の第2版（1974年刊）で削られました。以来、現在の第8版まで、説明は基本的に変わっていません。

「友だち」と言える条件が、どうもはっきりしません。他の国語辞典は「友だち」をどう説明しているか、最新版で見てみましょう。

・〈一緒に何かをしたり遊んだりして、気持の通い合っている人。友人。〔下略〕〉（『新明解国語辞典』第8版）

・〈親しくつきあっている人。友人。友。〔下略〕〉（『明鏡国語辞典』第3版）

・〈同等の相手として親しく交わっている人。友人。〉（『岩波国語辞典』第8版）

国語辞典はまだほかにもありますが、このくらいでやめておきます。ここには注意すべき要素が出ています。すなわち、「気持ちが通い合っている」「親しい関係である」「同等である」という3要素です。他の国語辞典の説明も、この3要素のいくつか、または全部を含むものが目立ちます。

　ただ、この要素を一つ一つ検討していくと、疑問に思う部分もあります。

第1の「気持ちが通い合っている」を見てみましょう。はたして、友だちは必ず気持ちが通い合うものでしょうか。

学校関係のいくつかのウェブサイトを見ると、「友だち同士声をかけ合い」「友だち同士で教え合う」などの表現が出てきます。文脈から、この「友だち」は同じクラスのメンバー、クラスメートだと思われます。でも、同じクラスだからといって、気持ちが通い合っているかどうかは分かりません。ウェブサイトには「嫌いな友だち」「仲の悪い友だち」という表現も出てきます。クラスメートなら、仲が悪くても「友だち」と表現されるのです。

もっと極端なのは、幼稚園や小学校の低学年などの場合です。お互いに知らない子ども同士でも「お友だち」と一括りにされます。「知らないお友だちに話しかけられた」とも言います。これは「同じ園（学校）に属する子ども」というくらいの意味です。

第2の「親しい関係である」という要素も検討が必要です。先ほどの「知らないお友だち」はさすがに極端だとしても、「ただの友だちです」という言い方はよく聞きます。「友だち」とは、「ただの」とそっけなく言えてしまう関係も含むのです。

「ただの友だち」は、多くは「恋人ではない」という意味ですが、「親友と言えるほどではない」という意味でも使います。「仲間」の場合、「ただの仲間です」とは言いません。それと比べると、「友だち」にはちょっと頼りなく感じられる面があります。

第3の「同等である」という要素は、たしかに「友だち」らしい要素です。同学年の別のクラスに「友だち」がいることはありますが、学年が上や下だと「友だち」とは言いにくいのです。「上級生・下級生」「先輩・後輩」などと言います。

社会人になると、年齢や地位が違う相手とも「友だち」になります。趣味などのサークルでは、祖父母と孫ぐらい年齢が違っても「友だち」と言える関係になることがあります。ただし、その場合でも、お互いに同等――というより対等な関係に立っていなければ「友だち」とは呼びません。

「友だち」の意味は、「仲間」と比べると、よりはっきりしてきます。

先ほど、「仲間」は「ただの仲間」とは言わないと述べました。なぜ言わないかというと、やりたいことを一緒に実現するために欠かせない相手だからです。立場や考え方が同じで、ともに仕事をしたり、計画を実行したりするのが「仲間」です。たまに遊んだりするだけでは「仲間」らしくありません。

「友だち」は「遊び友だち・飲み友だち」とは言いますが、「仕事友だち・ボランティア友だち」とはあまり言いません。一方、「仲間」は「遊び仲間・飲み仲間」だけでなく「仕事仲間・ボランティア仲間」とも言います。「仲間」は「友だち」に比べ、協力して何かをする意味合いが強い呼び名です。

こう言うと、「仲間」のほうが優れた関係のようにも思われますが、必ずしもそうではありません。「ギャング仲間・犯罪者仲間」など、悪い目的で結びついた相手も「仲間」と言います。「ギャング友だち・犯罪者友だち」とは言わないので、「友だち」のほうが物騒でないのは確かです。

以上のことを基に、「友だち」の意味をまとめてみましょう。

同じクラスになっただけでも「友だち」と言うことがあるので、『三省堂国語辞典』の説明どおり、同じ学校に通うのは「友だち」です。「友だち」は、一緒に遊びやレクリエーションをするなど、仕事に直結しないのが普通です。仕事など、何かに一緒に真剣に取り組んでいる相手は、むしろ「仲間」と呼びます。ただし、友だち同士が会社を興(おこ)して仕事仲間になることもあるし、社員同士が何かのきっかけでプライベートで友だちになることもあります。

「友だち」は対等な関係でもあります。年齢や職業など、立場は違っても、お互いに対等にものが言えます。仕事仲間には話せない悩(なや)みも、仕事以外の友だちになら話せる、ということもあるでしょう。「遊び友だち」や「飲み友だち」は、必ずしも遊び半分の関係というわけではなく、お互いを高め合う関係にだってなりえます。

「『友だち』とは何か」について、あくまで辞書的な面から考えてみました。私はここまでの考えを踏(ふ)まえて辞書の説明をよりよくしたいと思いますが、さて、あなたなら、自分自身の辞書にどんな説明を書くでしょうか。

飯間浩明（いいま・ひろあき）
1967年香川県高松市生まれ。国語辞典編纂者。『三省堂国語辞典』編集委員。著書『日本語はこわくない』（PHP研究所）、『日本語をもっとつかまえろ！』（毎日新聞出版）、『知っておくと役立つ　街の変な日本語』（朝日新書）、『ことばハンター』（ポプラ社）他。『気持ちを表すことばの辞典』（ナツメ社）監修。

友だちになりたい人にはどう近づく？

文化人類学者
松村圭一郎

「贈与論」
マルセル・モース［著］、
森山工［訳］
岩波文庫／『贈与論　他二篇』所収

一四歳のあなたは、友だちをうまくつくれないと悩んでいるかもしれない。でも大人になったらなったで、友だちをつくるのは簡単ではない。仕事や親どうしの関係など、純粋に楽しむだけでは済まされなくなるからだ。

小さいころ自分がどうやって友だちをつくっていたのか、思い出せる人は少ないだろう。あのときのように自然に友だちができたらどんなにいいか。大人だって悩んでいる。

そんなとき、自分の娘たちをみていると、はっとさせられる。一歳くらいになって少しずつ言葉を介したコミュニケーションがとれるようになると、同い年くらいの子どもに興味をもちはじめる。「友だち」とまではいかなくても、「○○ちゃん」と顔と名前がわかって、相手のことを意識するようになる。

二歳か三歳くらいになると「これ、○○ちゃんにあげたい」と、プレゼントをわたそうとする。親が教えたわけでもないのに、相手への気持ちを言葉よりも、物に託したいようなのだ。おもちゃにしても、シールにしても、自分のお気に入りを自分だけのものにしておきたい気持ちが強まっていくのに、そんな貴重なものを誰かにわたしたいとも思う。考えてみると、とてもおもしろい。

小学校低学年になると、プレゼントの贈りあいはもっと頻繁になる。娘たちも、ビーズだとか、カードだとか、折り紙だとか、よく同級生と贈り物の交換をしている。小学二年生の次女が一番の仲よしの友人と過ごすときは、きまってお菓子を公園にもちよって交換しながら遊んでいた。自分のお菓子を自分だけで食べても、なんの楽しみもない。でも誰かと物をやりとりすると、そこに喜びが生まれ、友情も育まれる。

娘に聞くと、相手に何かをわたしたいと思うし、もらったら、お返ししないといけないとも感じているようだ。友だちになりたい人にどう近づくか。そこでひとつの鍵となるのが、この「贈り物」である。

文化人類学と贈り物

この贈り物の交換は、私が専門とする文化人類学にとって、古くから重要な研究テーマだった。その代表的な古典が、フランスの人類学者マルセル・モースが書いた『贈与論』だ。一九二〇年代半ばに書かれたこの本は、現在も大きな影響力をもちつづけている。モースは世界中の民族の事例から、贈り物のやりとりが人間社会にとって大切な役割を果たしていると指摘した。

モースは贈り物には三つの義務があると書いている。贈り物をあたえる義務、受けとる義務、そしてお返しをする義務だ。

子どもたちがすでに意識しているように、相手と友好関係をつくり、それを維持するには、贈り物をあたえないといけないし、贈られたら受けとらなければならない。そしてしかるべきタイミングで、きちんとお返しをしなければならない。モースに言われなくても、なんとなく、その感覚は理解できるはずだ。

たとえば同級生から誕生日のプレゼントをわたされたら、「いや、いらない」とは断りにくい。受けとりを拒否すれば、相手との関係が険悪になることは、誰でも想像できる。だから、贈り物には受けとる義務がある。

そうして受けとったら、相手の誕生日にお返しをしないといけない気分になる。相手もそれを期待しているのでは、とも思うはずだ。誕生日プレゼントを贈った相手が、もし自分の誕生日を忘れていたら、がっかりするだろう。

モースは、おもに人間集団間の贈り物の交換に注目した。たとえば、現在のパプアニューギニア東部の島々には、異なる島で暮らす人びとのあいだに首飾りと腕輪という二種類の宝物を交換しあう関係が築かれていた。

島々には、宝物を交換するパートナーが複数いて、みんなでカヌーの船団をつくり、わざわざ海をこえて贈り物をわたしに行く。最初に腕輪を贈られた者は、しばらく手元においたあと、それをくれた相手とは別の島のパートナーに贈る。腕輪を受けとった相手には、違う島のパートナーから贈られた首飾りをお返しとしてあたえる。この腕輪と首飾りを贈る方向は決まっていて、島々のあいだを首飾りは時計回りに、腕輪は反時計回りに循環しつづけている。

いったいなぜそんなことをやっているのか。モースは、そこに人間集団が友好関係を築いて社会を発展させる知恵があると考えた。

「社会が発展してきたのは、当のその社会が、そしてその社会に含まれる諸々の下位集団が、さらにその社会を構成している個々人が、さまざまな社会関係を安定化させることができたからである。すなわち、与え、受け取り、そしてお返しをすることができたからである。交わりをもつためには、まずはじめに槍を下に置くことができなくてはならなかった。そのときはじめて、財や人は交換されるようになった」（『贈与論　他二篇』450頁）。モースはこう書いている。

人間集団のあいだには潜在的に戦いに至る緊張関係がある。それでも槍を置いて、平和の意思を示すことで、集団間でも個人間でも、贈り物をあたえあう安定的な社会関係を築くことができた。それが互いにとって利益をもたらし、武器にたよらずに社会を発展させてきた。モースは、この贈り物の交換が、平和と友好の技法であると説いたのだ。

贈り物のむずかしさ

では、友だちになりたい人には、とりあえず贈り物をわたせばよいのかというと、そう単純ではない。贈り物は、人と人を結びつける。感謝の気持ちや愛情を伝えることもできる。でも一歩まちがうと、相手との関係を悪化させてしまうことだってある。モースは、「ギフト gift」（贈り物）の語源に「毒」という意味があると述べて贈与の危険性にもふれている（同書所収「ギフト、ギフト」）。

相手に何を贈ればよいのか。できれば喜んでもらえるものを選びたい。だが、物によっては相手を不快にさせたり、怒らせたりすることもある。相手の好みや互いの関係、贈り物をわたす状況やそこに込める思いなど、いろいろなことを考えないといけない。前もって希望を聞ければ簡単だが、言われた品を買ってわたすだけだと、代わりにお金を払うだけのようになってしまう。

贈り物へのお返しにも、神経を使う。もらったものと同等のものをわたさないといけない。多すぎても、少なすぎてもいけない。もらったものより価値の低いお返しだったら、相手をがっかりさせるだろうし、失礼だと思われるかもしれない。でも逆に多すぎたら、相手を恐縮させ、いやな気持ちにさせるだろう。

とはいえ、同じものを返すのも変だ。誕生日にクマのぬいぐるみをもらって、相手の誕生日にまったく同じぬいぐるみを返したら、もらったものをつき返す感じになる。同じく、もらってすぐにその場でお返しするのも、つき返すようで変だ。だからある程度、お返しには時間をおく必要もある。

贈り物のやりとりは、とてもめんどうくさい。でも、それはそのまま友だちをつくって関係を維持するめんどうくささでもある。人間が他人とともに生きていこうとすれば、自分の思い通りになることばかりではない。自分の感情をおさえる必要もあるし、相手のことを気づかわないといけない。

でも、そのめんどうなことをすべて捨て去ってしまったら、人生になにが残るだろうか。自分の心地よさだけに閉じこもっていたいなら、あえて友だちをつくる必要はない。大人になればなるほど、事前にめんどうなことを回避しがちだ。贈り物のたいへんさを引き受けつつ、そのやりとりに喜びや楽しさを見出していく。たぶん私たちが小さいころは、それが自然と苦もなくできていたにちがいない。

松村圭一郎（まつむら・けいいちろう）

1975年熊本県生まれ。岡山大学文学部准教授。京都大学大学院人間・環境学研究科博士課程修了。専門は文化人類学。所有と分配、海外出稼ぎ、市場と国家の関係などについて研究。著書に『所有と分配の人類学――エチオピア農村社会の土地と富をめぐる力学』『ブックガイドシリーズ 基本の30冊 文化人類学』『うしろめたさの人類学』（第72回毎日出版文化賞特別賞受賞）『これからの大学』『くらしのアナキズム』『はみだしの人類学』『小さき者たちの』『旋回する人類学』など。共編著に『文化人類学の思考法』『働くことの人類学』がある。

友達を「許せない」と感じたらどうするか

哲学者
戸谷洋志

「情念論」
デカルト［著］、
井上庄七、森啓、野田又夫［訳］
中央公論新社／『省察　情念論』所収

大人になってしまうと、友達と喧嘩（けんか）する機会はなくなっていく。それでも、ときどきは、友達に対して傷つけられることを言われたり、頭に来ることをされたりする。そんなときに、激怒（げきど）して喧嘩することができるなら、あるいはまだいいのかも知れない。自分が怒（おこ）っていることを相手に伝えることさえせず、遠ざかっていくこともあるだろう。

私たちは、自分が思っているほど、自分自身をコントロールできていない。自分では冷静に自由に決めたことだと思っていても、実は後から眺（なが）め返（かえ）せば、一時の感情に支配されていることもある。それによって、本当は自分にとって一番大切なはずのものを、自分で傷つけたり、手放したりしてしまう。

それは仕方のないことだとしても、でもやはり、寂しい。自分自身の感情と、友達との関係をうまく両立させ、友情を長続きさせるにはどうしたらよいのだろうか。それに対して、近代フランスの哲学者ルネ・デカルトは、『情念論』という本のなかで、一つの解決策を示している。

彼は、人間の精神を二つに区別した。一つは、能動的な側面であり、もう一つは、受動的な側面である。能動的な側面は、「意志」と呼ばれる。意志とは、何ものによっても強制されることなく、自分で何かを選択するということだ。それに対して、受動的な側面は「情念」と呼ばれる。情念とは、自分の外にある何かによって強制され、ある感情を喚起させられることである。意志は自由だ。それに対して情念は不自由であり、もう少し哲学的な言い方をするなら、必然性に従っている。

怒りは情念の一つである。たとえば私たちが何か怒るべき出来事に遭遇する。友達に馬鹿にされたり、約束を破られたりする。それは「私」の外側からやってくる。「私」

は怒る。しかし、「私」はそのとき、怒ることを自分で選択しているわけではない。怒るか怒らないか、という二枚のカードを示されて、怒ると書かれたカードを切っているわけではない。そのとき「私」には怒ることしかできないのであり、そこに自由はないのである。

しかし、私たちはただ感情に飲み込まれるだけの存在ではない。私たちは、誰もがそうした受動的な側面を抱えている。しかし、そのことを理解し、自分の情念との向き合い方を統制することで、感情に振り回された生き方を乗り越えることは可能なのだ。

デカルトは、そうやって自分の精神を統制することを、「高邁さ」と呼ぶ。高邁さとは、人間の意志の働きを尊重し、何事においても自分自身の選択を大切にする考え方だ。たとえば、「私」が自分の意志で部屋を掃除したなら、それによって「私」は褒められる。そのとき「私」は掃除をすることを自分で選択しているからだ。しかし、もしも「私」が親に命令されて、いやいやながら掃除をしただけなら、それは褒められるに値しない。「私」はただ強制されているだけであるからである。

また、もしも「私」が自分の意志で他者に暴力をふるって怪我をさせたなら、当然のことながら、「私」はその責任を負わなければならない。しかし、たとえば満員電車のなかで、急に電車が停止し、どうしても体勢を維持できなくなって他者にぶつかってしまったなら、それは「私」の責任ではない。そのとき「私」が相手にぶつからないことは、そもそも不可能だったからだ。

そんな風に、自分で選んでやったことだけを自分の功績と責任の対象とし、自分ではどうにもならなかったことはそこから除外すること――それが、高邁さである。このことは、もう少し平たく言うなら、あくまでも謙虚でありながら、同時に自己卑下には陥らないようにする、バランスの取れた自己評価の仕方である、と言える。

そのうえでデカルトは、こうした高邁さを他者に向けていくべきである、と訴える。つまり、「私」が自分に対してそう思っているのと同様に、他者の功績と責任も、その他者が自分で意志したことだけによって評価する、ということだ。彼はこんな風に言っている。

> 自己自身についてこういう認識とこういう感情と〔引用者注：高邁さ〕をもつ人々は、他の人もまたおのおのそういう自己認識と自己感情とをもちうることをたやすく確信する。なぜなら、このことにおいては、誰も他人に依存するところはないのだからである。それゆえ、そういう人々は、だれをも軽視しない。そして、他の人がその弱点を暴露するようなあやまちをおかすのをたびたび見ても、その人を責めるよりは、ゆるすほうに傾き、他人があやまちをおかすのは、善き意志の欠如によるよりはむしろ、認識の欠如によると考えることに傾く。

デカルトによれば、高邁な人間は、自分だけではなく、他者に対しても自由な意志を認める。だからこそ、そうした人は「だれをも軽視しない」。仮に、他者が何かの失敗をしても、それがただちにその他者の責任であるとは考えない。他者はその失敗を自分で選んでいるとは限らないからだ。だからこそ、高邁な人は、他者に対して寛容になる。他者を非難するのではなく、許そうとするのである。

デカルトは言う。「真実にけだかい高邁な精神をもっているならば、その人がどんなに不完全な人間であっても、われわれはその人に対してきわめて完全な友情をもちうるのである」。つまり、高邁さは私たちの友情を完全なものにするために必要なのだ。それでは、高邁さと友情はどう関係するのだろうか。私の考えでは、たぶん、そこには二つの側面がある。

一つは、「私」を傷つけた友達を、許すということである。たしかに、友達は「私」を怒らせるようなことを言い、あるいはしたかも知れない。しかし、その友達がそうすることを本当に望んでいたとは限らない。もしかしたら友達は、「私」が想像していることとは、まったく違(ちが)ったことを意図していたかも知れない。友達は、どうすることもできずに、「私」を怒らせるようなことをしてしまったのかも知れない。そうであるとしたら、「私」はその友達を頭ごなしに非難しない方がいい。一度は深呼吸して、友達を許せるよう、心を落ち着かせるべきなのだ。

もう一つ。それでも友達を許せないことはあるだろう。どれだけ深呼吸しても、怒りを抑(おさ)えられず、その友達を拒絶(きょぜつ)してしまうこともあるだろう。そのとき「私」は情念に駆られ、自由に行為できていないことになる。それでも——いや、だからこそ——そうやって怒ってしまう自分自身のことも、「私」は許すべきなのだ。それは抗うことができないこと、仕方のないことだったと思うべきなのだ。

そうして、自分自身に対して高邁であることによって、私たちは再びその友達と和解するチャンスを持てるだろう。なぜなら、友達への怒りは、本当に自分が望んでいることではなかったからだ。そのようにして高邁さは、喧嘩をしてしまった友達との和解の可能性を開き、あるいはそのハードルを下げてくれるのである。

私たちはみんな不完全だ。自分のことを完璧にコントロールできる人間なんて、誰もいない。自分で思っていないことを言ったり、やってしまったりする。しかしそれは仕方のないことなのだ。大切なのは、そうやって傷つけあったときに、それは「仕方なかったんだ」と思い、互いを許し、もう一度仲直りすることだ。

仲直りすることは気恥ずかしいかも知れない。しかし、そのとき君は、自分が誰よりも高邁な人間であることを、どうか忘れないでほしい。誇り高く、堂々と胸を張って、もう一度友達に手を差し出してほしい。

戸谷洋志（とや・ひろし）

1988年東京都生まれ。立命館大学大学院先端総合学術研究科准教授。法政大学文学部哲学科卒業後、大阪大学大学院文学研究科博士課程修了。博士（文学）。ドイツ現代思想研究に起点を置いて、社会におけるテクノロジーをめぐる倫理のあり方を探究する傍ら、「哲学カフェ」の実践などを通じて、社会に開かれた対話の場を提案している。『友情を哲学する――七人の哲学者たちの友情観』（光文社新書）、『SNSの哲学――リアルとオンラインのあいだ』（創元社）、『親ガチャの哲学』（新潮新書）など。

人間関係における「正解」探しの末路

著述家
読書猿

『遥かなるマナーバトル』
たむらゲン
小学館

「マナー講師」と呼ばれる人たちがいる。

マナーやエチケットに関するアドバイスや本の執筆を職業としている人たちだ。企業で研修を担当したり、セミナーで講演したりもする。就職活動中の学生への指導を行ったりもする。

このようなマナー講師は昨今「失礼クリエイター」などとも呼ばれる。もちろん悪口だ。マナーを教えることを口実に、それまでなかった「新しい失礼」を作り出し、マナーを「捏造」するからだ。

問題とされるのは、作り出されたマナーのおかしさ、根拠のなさだけではない。社会人経験のない学生に対して、「大人たち（会社の先輩や上司、取引先など）は、あなたのマナー違反をずっと見張っている、間違いを指摘して攻撃しようと待ち構えているのだ」とでもいった恐怖心をあおることで、マッチポンプ的に自らの需要（仕事）を作り出していると、マナー講師は非難される。

たとえば、就職情報サイトなどで取り上げられたことから、就活生の間でまことしやかに広まっている「ノックは絶対に3回。2回だと落ちる」という流言（デマ）がある。この元になったマナーについては、駒澤大学グローバル・メディア・スタディーズ学部教授である山口浩氏の調査によって、出処や広まった経路が確認されている。

山口氏によれば[*1]、このマナーは、1981年に創立された日本現代作法会を源流とするものである。これが1990年代にJALの客室乗務員出身のマナー講師によるマナー本に登場し、さらに2000年代以降インターネット上で広まったものである。

＊1 http://www.h-yamaguchi.net/2023/09/post-401fe2.html

出処である日本現代作法会の創設者である篠田弥寿子氏の著作には、次のような記述がある。

「今まで二回ノックの日本人がすぐに欧米人並みに四回ノックするのは結構むずかしいものです。そこで私ども、日本現代作法会では、トイレは二回、普通は三回以上、軽くノックすることを標準にしています。」（篠田弥寿子（1987）『紳士の条件：弥寿子のマナー読本』（49ページ））。

つまり篠田氏自身が言うように、1980年代まで日本のノックは2回が普通だったのだ。そして、それは、すぐに「欧米人並み」のマナーを採用するのは難しいからと提案された妥協案であった。

今回紹介する『遥かなるマナーバトル』は、このマナー講師を題材にした漫画である。

ストーリーは、ささいなマナー違反によって仕事に失敗し自殺した父を持つ主人公が、父親を自殺に追い込んだ者たちへの復讐心を「こんな世界を変えたい」という決意にかえて、最強のマナー講師を目指して「戦い」に身を投じてゆくという、古典的なバトル漫画のフォーマットに沿って展開していく。

念のため申し添えると、物語に描かれるマナーの多くは、その是非（と捏造されたかどうか）はともかく「実在」する。作者自身が考えたオリジナルのマナーが一部含まれるが、その多くは作者がネットや書籍などで調べて見つけたものである。

しかし主人公や登場人物の多くが身を投じる「マナーバトル」は、マナー講師同士がお互いのマナー違反を指摘し合うことで潰し合う戦いである。

言うまでもなく『遥かなるマナーバトル』は、シリアスなバトル物ではない。むしろそのパロディというべきだろう。

パロディは、多くの人が知るパターンや「型」を前提に、その一部を反転させたり、異なる要素を組み入れることで笑いをもたらすものである。『遥かなるマナーバトル』をパロディ作品と見る時、前提とするパターンや「型」は2つある。

ひとつはバトル物のパターン／型である。復讐という動機づけ、未熟な主人公を教導する師、物語が進むごとに登場する新たな敵、かつて倒した強敵との共闘などなど、通常のバトル物に頻出するパターン／型は、『遥かなるマナーバトル』でも健在である。

　そしてもうひとつ、『遥かなるマナーバトル』が前提とするパターン／型がある。いうまでもなく「こうした状況ではこう振る舞うべき」というパターン／型、すなわちマナーだ。

　マナーは無意味ではない。それはお互いの行動を予測する手がかりとなるからだ。見ず知らずの他人、それも文化を異にする者と出会う時、相手がどんな行動をとるか予想がつかない。最悪、嘘をついて騙したり、襲いかかってくるかもしれない。

　しかし、最悪を予想して対応しようとすると切りがない。疑ってばかりでは行動は制約されるし、手間ばかり増えるし、心だって疲れる。円滑なやり取りはできなくなり、余計なコストやストレスばかりが増える。

　相手がマナーに従っていることが分かると、こちらもマナーを知っていれば、相手が次に何をしようとしているか予想がつく。こちらがマナーに応じると、相手にも同じように予想してくれることが期待できる。相手の正体や本性までは分からなくても、少なくともこの場は、マナーに従ってお互いの行動と予想が結びつき、想定外の行動に対して対処する必要が減って助かる。

マナーやエチケットは本来、こうして人間関係を円滑に進め、対立や諍い（いさか）が起こる可能性をあらかじめ減らすためのものであるのだ。


この作品の「マナーで戦う」というシュールな設定は、マナーの目的と機能を逆転させるとともに、マナーの理不尽（りふじん）さを強調しているようにも見える。

しかしよく見ると、マナーバトラーとはいうものの、彼（かれ）らはマナー自体で戦っているのではない。相手にショックを与（あた）えるのは「マナー違反」ですらなく、対戦者からの「マナー違反の指摘」によってだ。


そもそも何故（なぜ）マナー講師なる職業が存在するのか？

それはマナーには絶対的な「正解」が存在しない、つまり「正解」を自称（じしょう）するものが乱立するからである。

どれが正解か分からず何をすべきか判断がつかないからこそ、「本当の正解」を教えてくれる誰かを求めたくなる。ここにマナー講師へのニーズが生まれる。

人付き合い、人間関係は難しい。

その理由は「正解」がない、いやむしろ複数あるからだ。時と場合と相手によって、全く正反対のことが「正解」となることもありうる。

道徳的に「正しい」やり方が選べる場合でも、相手が道徳的に反応してくれるかは分からないし、期待できないことも多い。

さらにどちらの選択肢が正しいか、それを決めることすら難しい場合だって少なくない。

しかし重要なのは次の点だ。絶対的な「正解」が存在しない人間関係において、《弱者》は正解を探し、《強者》は正解を押し付ける。

たとえば、人に好かれよう／嫌われまいと努力する「真面目」な人は、この法則の餌食になりやすい。

このタイプの人は、人間関係においても間違えることを恐れる。だから「正解」を探し求めてしまう。しかし人間関係で「正解」を探すことは、「正解」を与える役を好かれたい／嫌われたくない「相手」に譲り渡すことだ。こうなると、その「相手」は思う存分、正解を押し付ける「強者」として振る舞うことができる。

人間関係における弱者／強者はあらかじめ決まっているわけではない。あえて言うなら、人間関係について恐怖心が強い人ほど、また間違えることについての耐性がない人ほど、正解を求める「弱者」の立場を選びやすい。

例えばテストの点と違って、面接では何が正解なのか、分かりにくい。「望まれる人物像」だって職業や会社によってまちまちだ。正解が分かりにくく、まちまちだからこそ、面接される者は「正解探し」する弱者の立場に追い込まれる。

『遥かなるマナーバトル』に登場するマナーバトラーたちは、マナー講師のパロディというよりむしろ、相手に正解を押し付ける《強者》のカリカチュア（戯画化）であり、自身を「正解探し」に追い込む我々《弱者》の陰画である。

読書猿（どくしょざる）

ブログ「読書猿 Classic: between/beyond readers」主宰。「読書猿」を名乗っているが、幼い頃から読書が大の苦手で、本を読んでも集中が切れるまでに20分かからず、1冊を読み終えるのに5年くらいかかっていた。自分自身の苦手克服と学びの共有を兼ねて、1997年からインターネットでの発信（メルマガ）を開始。2008年にブログ開設。ギリシア時代の古典から最新の論文、個人のSNS投稿まで、先人たちが残してきたありとあらゆる知をカテゴリごとにまとめ、独自の視点で紹介し人気を博す。著書『アイデア大全』『問題解決大全』『独学大全』はいずれもベストセラー。

友人とは危険な存在？

――友人関係が描かれない『殺人出産』と『DEATH NOTE』

書評家
渡辺祐真

『殺人出産』
村田沙耶香
講談社文庫

『殺人出産』と『DEATH NOTE』

友人とは基本的に良いものとされています。しかし本当に信頼できる良い存在としても良いものなのでしょうか。

いや、突然こんなことを書くと面食らってしまうかもしれません。でもここでは、敢えて変わった角度から友情について考えてみたいと思っています。その題材として、友情が消え去った世界を描いた二つの作品を採り上げます。それが、村田沙耶香『殺人出産』という小説、そして、大場つぐみ原作・小畑健作画『DEATH NOTE』という漫画です。〔1〕

まずは『殺人出産』の紹介から始めます。舞台は近未来の日本。そこでは「10人産んだら、一人殺してもいい」という「殺人出産システム」が流通しています。人工授精や人工子宮を用いることで性別に関係なく、セックスを介さずに妊娠・出産することができるようになっており、希望者は「産み人」として約10年以上の歳月をかけて出産を続けます。産み人は人類を支える神聖な存在として崇められ、政府から補助金が支給されるほど。主人公の育子は、殺人出産に対して疑念を抱きながらも、姉が産み人としてまもなく10人目の出産を控えていることもあって、この制度に対しての態度を決めかねています。

『DEATH NOTE』は、「そのノートに名前を書かれた人間は死ぬ」というデスノートが、死神の世界から人間界に持ち込まれるところから物語が始まります。それを偶然手にした、強い正義感を持つ少年・夜神月（通称・キラ）は、デスノートで犯罪者や悪人たちを裁き、彼が認めた「真面目で心の優しい人間だけの世界」を創ろうとします。しかし、ノートによる殺人を犯罪とし、月を逮捕しようとする名探偵Lが彼の前に立ち塞がり……。

殺人出産システムとデスノートの問題点

この2作品には大きな共通点があります。それは、一個人の殺人によって、世界を「正す」ことを認めるか否かという問いです。

『殺人出産』では、産み人は10人の出産と引き換えに、希望する1人を殺害できる。違う観点から見れば、1人の殺害を許可することで、10人の人間をこの世に生み出すことができるとも言えます。つまり、10人が生まれることで1人が死ぬということは10－1＝9で、数字上は9人ものプラスです。同じく『DEATH NOTE』では、犯罪者やキラに逆らう者を犠牲に、真面目な人たちにとって居心地の良い世界が出来上がる。どちらの場合も、一見すると多数の人々にとっては有益に思えます。

しかし、ここには様々な問題があるのです。まずは、命に優先順位をつけていいのかという疑問。これは、医療現場で治療する順番を決める「トリアージ」と呼ばれる概念や、5人を助けるために1人を殺すべきかという「トロッコ問題」とも通じています。

〔2〕

もう一つ見過ごせないのは、犠牲となる人間の選定が、極めて恣意的であるという点。『殺人出産』は、産み人による個人的な動機で、世界のための犠牲者が決まります。『DEATH NOTE』の場合も、キラは犯罪者を裁くことを金科玉条に掲げていますが、彼を逮捕しようとする警察関係者たちを殺すようになり、やがて彼に反対する民間人の殺害さえも厭わなくなります。これは一部の人のためだけの利益であり、万人に認められる「正義」ではありません。

恐怖による支配下での人間関係

多数者のために、少数者を身勝手に犠牲にする世界では、一体何が起こるのでしょうか。

『DEATH NOTE』では、キラの支配が進むごとに、キラに反対することは危険を伴う（文字通り命がけの）行動となり、表向きは皆がキラに従うようになります。作中でも月が「キラだけではなく周りの人間に自分の悪事を見られ それをキラに告げられる事を恐れ 皆が人に対する姿勢 行いを 正し始めている」と述べています。これは恐怖による支配です。

『殺人出産』でも近いことが起こっています。産み人によって殺されることになる人は「死に人」と呼ばれ、栄誉なこととされています。死に人の葬儀では、参列者は白い装束に身を包み、拍手を送ることもあるほどです。ですがその実、人々は死に人に選ばれたいと願っているわけではありません。育子は、姉が10人出産した直後、「自分が「死に人」だと告げられることを恐れて」いたとはっきり述べています。つまり、表向きはこの制度を称賛しながらも、本心では恐れている。恐怖や同調圧力がこの制度を支えているのです。〔3〕

そんな厳しい管理の世界では、隅々まで監視の目が光っているため、友人という関係を結ぶことには困難が伴います。

なぜでしょうか？　それは「制度」と「疑心暗鬼」という二つの壁のせいです。

まず、制度の壁を鮮烈に描いているのが、ジョージ・オーウェルの『一九八四年』という管理社会を描いた小説です。この世界では、徹底した思想や行動の検閲・管理がなされており、主人公は仲の良い同僚サイムを指して次のように述べているのです。

> 振り向くと、友人のサイムだった。調査局で働いている。〝友人〟というのは必ずしも適切なことばではないかもしれない。昨今、友人などは存在せず、誰もかれもが同志なのだ。〔4〕

制度に組み込まれると、すべての人が何かの役割を持って行動することを強制されます。したがって、自分勝手な行動や、個人的な関係を結ぶことが困難になる。実際、ここでは国家に奉仕するための「同志」であって、「友人」という概念がなくなりつつあることが強調されています。制度は私的な関係を許さないのです。

友人になるための要件

次の疑心暗鬼の話をするために、今更ですが友情とはどのようなものかについて考えます。哲学者の戸谷洋志は次のように定義しています。

> 友情とは、契約に基づかず、誰からも管理されず、常に解消可能な関係である。〔5〕

友人関係の構築には、雇用関係や恋人とは違って、「今日から友達になりましょう」「はい」というやりとりがなされることはほぼありません。そして、友人になることは誰からも強制されませんし、当人たちが解消したいと思えばいつでも友人であることをやめることはできます。

では、どうすれば友人になれるのでしょうか。

価値観や趣味が共通していたり、一緒に出かけたりと様々な要因はありますが、絶対に欠かせない要素の一つは、お互いの情報を打ち明けることです。一緒に遊んだりどこかへ出かけたり、自分たちの家族や趣味、考えていることなどを話し合うことで、友人として関係が構築されていきます。お互いのことを全く知らない友人関係はありえません。つまり、友人になるためには、自分の情報を相手に開示せねばなりません。

なぜ友情が描かれないのか？

基本的には友情とは良いものとされます。しかし、いざ時代が殺伐（さつばつ）としたり、相手が自分に対して敵意を持ったりしたような場合には、友情が自らを傷つける刃物（はもの）に様変わりする場合があります。

例えば、相手に話していた秘密を暴露（ばくろ）されたら、あなたはまずい立場になるかもしれません。警察が自分を追っている場合、友人が事情聴取（ちょうしゅ）をされてしまいます。あるいは、近しい存在になったばかりに死に人に選ばれたり、名前と顔を知られたばかりにデスノートに書かれたり、キラに情報を伝えられたりするかもしれません。〔6〕

つまり、友情がお互いの情報を交換（こうかん）することを含（ふく）んでいるために、情報や思想が危険性を持つ世界では、友人はリスキーな存在になってしまうのです。したがって、『殺人出産』や『DEATH NOTE』で描かれるような社会では、友情が成立しにくい、つまりは描かれないのです。これが疑心暗鬼です。

逆に『DEATH NOTE』で描かれるのは、そうした危険性から無縁である死神同士、月と死神リュークとの間における友情だけ。月とLは殊更にお互いを「友人」と呼び、本心の隠れ蓑として友情を用いるのも印象的です。〔7〕

『殺人出産』では、相互監視にはまだ至ってはいないものの、出産に対する思想をお互いに探り合い、古い価値観の人間に対しては露骨な忌避感を示します。育子の家に遊びにくる小学生のミサキは、同級生たちを友人というより、商売相手として扱っています。主人公の育子にも友人の描写はなく、会社の同僚たちともあまり腹を割って話をしません。唯一、二人で食事をするようになった早紀子は、ある目的のために接近してきており、友人ではありませんでした。

友人とはリスクを孕んだ存在である

現代の日本は、ここで描かれているような管理社会ではありません。そういう意味では友人の存在はノーリスクに思えます。

しかし、ＳＮＳという情報の塊を、友人たちと共通していることを思い出してください。実際、ＳＮＳを発信源とする炎上の場合、問題となる投稿を流出させているのは、それを閲覧できる人、つまりは友人（だと思っていた人）がほとんどです。〔8〕

そう、確かに友人はとても大切ですが、状況と行動が噛み合ってしまえば、たちどころに危険な存在になりうる、ということを意識する必要があるのです。

ピンと来ない方は、『DEATH NOTE』で月の名前をノートに書くのが誰なのか、ぜひ読んでみてください。

〔1〕引用は、村田沙耶香『殺人出産』（講談社文庫、２０１６年）、大場つぐみ原作・小畑健

作画『DEATH NOTE』1〜12巻（集英社、2004〜2006年）による。

〔2〕この点には深入りできないので、命の順位や『DEATH NOTE』の正義に関すること、更には友情や愛情について、哲学的な観点から知りたい方は、平尾昌宏『愛とか正義とか』（萌書房、2013年）という本を読んでみてください。

〔3〕作品では巧妙に秘匿されていますが、この制度を推進し、利益を得ているのは「国家」です。補助金を出し、産み人を奨励し、学校教育では過度に殺人出産システムを礼賛するように仕組んでいる。自国の人口が減っては困るからです。殺人出産に疑いを持つ早紀子は、そのことを見落として、個人に帰責しているのが問題です。

〔4〕ジョージ・オーウェル、高橋和久訳『一九八四年［新訳版］』ハヤカワepi文庫、2009年、76頁。

〔5〕戸谷洋志『友情を哲学する』光文社新書、2023年、21頁。

〔6〕近しい関係で名前を書かれる例は、『DEATH NOTE短編集』という番外編に見られます。また、アニメ版episode30には、同級生と思しき（おそらく自分に対して嫌がらせをしている）子供たちに向かって、「お前たちの名前をネットに晒すぞ」と恫喝する少年が登場します。

〔7〕『DEATH NOTE』の原作者である大場つぐみは、「（Lによる：引用者補足）月への〝初めての友達〟という言葉も大嘘です。（中略）きっと裏で、凄い腹黒い事を考えているんでしょうね」（『DEATH NOTE HOW TO READ 13』集英社、２００６年、64頁）と述べています。

〔8〕ＳＮＳで炎上するのは、多くの場合は犯罪や迷惑行為で、それをした人間自身にも大きな責任があり、拡散した「友人」だけが悪いわけではないのはもちろんです。

渡辺祐真（わたなべ・すけざね）

１９９２年東京都出身。書評家、文筆家、書評系YouTuber、ゲーム作家。２０２１年頃から副業として書評家等の活動を開始。２０２３年に株式会社スクウェア・エニックスを退職し、専業となる。テレビやラジオなどの各種メディア出演、トークイベント、書店でのブックフェア、中学校や高等学校、大学、企業での講演会なども手掛けている。毎日新聞文芸時評担当（２０２２年４月〜）。ＴＢＳラジオ「こねくと」レギュラー（２０２３年４月〜）。TBS Podcast「宮田愛萌と渡辺祐真のぶくぶくラジオ」パーソナリティ。著書に『物語のカギ』、編著に『みんなで読む源氏物語』。

「なじむ」ための摩擦（まさつ）

摩擦研究者
足立幸志

『求めない』
加島祥造
小学館文庫

皆（みな）さんは人間関係での揉（も）め事（ごと）を表現する際に、「摩擦」や「衝突（しょうとつ）」といった言葉を使うと思います。そもそも「摩擦」とはどのような現象なのでしょうか。今回は物理現象としての「摩擦」から紐解（ひもと）いていきます（聞き手＝編集部）。

摩擦のコントロールができるとどうなるの？

貿易摩擦、人間関係の摩擦、マスクの擦（す）れによる肌荒（はだあ）れ……、こうした表現を日常の中で見聞きすると、摩擦は無いに越したことはないと思ってしまいがちです。もしかすると、世の中には摩擦が少ない方が良いと考えている人は多いかもしれません。しかし、工学の観点から健康や安全な暮らしを考えると、例えば車のブレーキや靴の裏など、実は摩擦が小さいと困る場面の方が多いかもしれません。そのため、摩擦が大きいことは決して悪いことではない、ということが今回のお話の前提です。同じように考えてみると、友だち付き合いでも、とにかく摩擦が小さいことがベストだという考えは、ひょっとすると先入観かもしれませんね。塩梅の良い摩擦は、快適な暮らしのためには必要不可欠です。

私たちは日々、摩擦をコントロールする技術開発を目指して、物質の表面について研究をしています。自動車の燃費の20～30％が摩擦で失われ、機械の故障や寿命の原因の約75％が摩擦に起因するというデータもあります。摩擦を抑制することは、エネルギーやコストの削減、より安全で信頼性の高い機械の作動につながります。人間関係に置き換えてみても、手に負えない摩擦には悩んでしまいますね。

良好な人間関係を燃え盛る炎に見立て、人間関係のスタートを火起こしにたとえてみましょう。皆さんは道具を使って摩擦によって火種を起こした後、どのように燃え盛る炎にしますか？　最初は火種を消さないように息を吹きかけ、燃えやすいものを準備して炎にしますよね。その炎を絶やさないように燃えやすい小さなものをくべたり、だんだん大きく煽ぐなど試行錯誤しますね。火種から燃え盛る炎にする過程こそが一番難しく、重要な問いです。友だちも火種と同じで、もっともっと発展していく可能性を秘めています。

摩擦にはなじむ過程がある

ところで、摩擦には「なじみ過程」というものがあります。身の回りに存在する表現からも考えてみましょう。靴が足になじむ、都会の生活になじむ、なじみの店ができる……なじむとは、程よい調和とか、慣れ親しんだ関係という二つのモノの間に存在する良好な関係のことを指します。この関係に至る過程では、まず二つが触れ合うこと、何よりも、何度も履いたり、店を訪れたり、必ず繰り返しがあります。そしてきっと、差

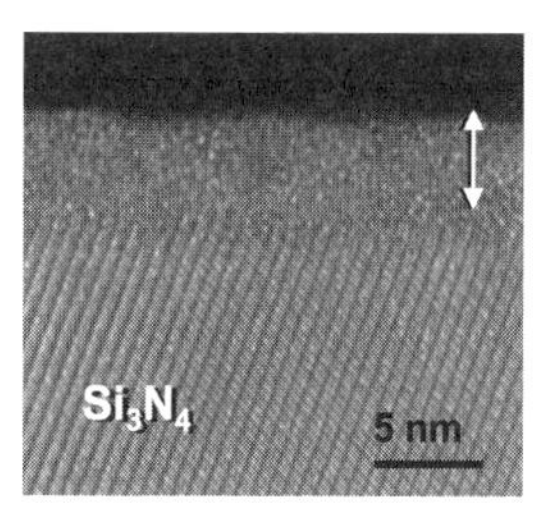

超低摩擦発現時のSi_3N_4（窒化ケイ素）最表面の断面像

し障りのない会話ではなく、相手を傷つけない程度に踏み込んだ会話も必要になると思います。

物質の摩擦では、最初は摩擦の数値が高いのに、繰り返し擦っていくと徐々に下がってくる現象が起こります。摩擦が下がってくる理由は、擦る過程で初期とは全く違う面が物質の表面にできてくるためです。実際にすごく低い摩擦が出ている時の物質の表面や断面を観察すると、表面の粗さが滑らかになったり、摩擦下での化学反応で初期にはなかった層や滑りやすい膜ができていることがあります。このような変化によって、摩擦はより下がるようになります。ですので、研究では特に摩擦発生の初期段階でどのような変化を起こさせるかが極めて重要であり、初期の高い摩擦が時に大切なのです。

人間で言えば、お互いに変わるということが仲を深めるための重要な点といえそうな気がします。

敷居に蠟を塗ると滑りやすくなるように低い摩擦を出したい場合は、物質に潤滑膜をつけます。さらに適切な環境に調整すればほとんどゼロの非常に低い摩擦にすることもできます。でも、しばらく擦り続けると潤滑膜が剝がれて摩擦は上がっていきます。仮面をかぶって仲良くしようとしている感じでしょうか。そのため、低い摩擦の寿命を長くしようとすると、元々の膜を厚くしないといけません。ただし、それはあくまで応急措置に過ぎません。

なじみという過程において重要なのは、物質の表面が自分で変化（自己形成、自己修復）することです。これによって低い摩擦を維持できるようになります。仮に低い摩擦状態を良しとした場合、超低摩擦を出し続けるには、良好な化学反応が起こり続けることが必要です。友だち関係でも魅力的な自分を演出しようと取り繕いたくなりますが、そのような状態で友だちとの仲が深まるのは難しい気がします。なぜなら自分をよく見せようとする状態を持続することは困難だからです。

なじむためには……？

研究では、なじむかどうか、どんな化学反応が起こるかを明らかにしようとしますが、友だち関係は目に見えませんし明確な答えはわかりませんよね。でも非接触では何も起こらないのは間違いないですし、同時に、接触によってなじんでいくことも間違いないです。

ですが、あまりにも接触が激しいと互いに傷つき関係が壊れてしまいます。だから、壊れない程度に接触するのは難しいけれど重要なことの一つです。しかし、接触が弱いと化学反応は起こりません。自分は傷つかないけれど、なじむこともないのです。やはりいくらかエネルギーを与えて、お互いに影響を及ぼさなければ状況は何も変わりません。

摩擦においてなじむためには、なじみ方を考えることが必要です。もし、自分自身が凸凹していて、相手がすごく弱い材質だったら相手を傷つけてしまいます。でも、凸凹があることは悪いことではありません。ツルツル同士の弱い接触では化学反応が起こらずうまくなじまないのです。相手を傷つける言動は良くないですが、踏み込むことを恐れていると、多分何事も起こりません。そこそこ最適なものにするためには、エネルギーを与えられる適度な凸凹も必要です。

とはいえ、相手が凸凹しすぎている時はどうしましょう。仲良くしてほしいと言っても、相手の気持ちをコントロールすることはできませんね。仲良くなることを自分が期待しても良いけれど、相手に仲良くすることを求めると難しいです。期待は自分本位であり、求めることは他人本位です。無理して仲良くする必要もないのですが、もしも関係をさらに深めたいと思うのなら、相手に求めるよりも、まずは自分が変わってみることが近道かもしれません。

実はなじむことで一番難しいのは、自分一人ではなじまないということです。そもそも相手が存在しなければ関係は始まりません。まずは自分から行動を起こし接触することです。かといって接触して相手に合わせすぎると自分がすり減ってしまいます。大事なのは自分に合う、なじむ相手が必ずいるということ。相手によって自分が変わり、自分によって相手も変わっていくこと、それがなじむということです。

加島祥造『求めない』

そうは言っても、自分も他人もそんなに簡単には思い通りに変わりません。友だちが自分の期待通りの反応をくれず残念に感じたり、苛立ったりすることもあるでしょう。そんな時、この本をおすすめしたいと思います。求めないことで訪れる変化をテーマにした詩集です。本書の中に「花を咲かせたあとは静かに次の変化を待つ。そんな草花を少しは見習いたいと、そう思うのです。」という言葉があります。なぜ相手はこうしてくれないんだともやもやするような時は、結局、相手に何かをしてほしいのだと思います。しかし、求めなければ、そんな気持ちになることもありません。つい、相手に求めてしまう時に読んでもらえたら良いのかなと思います。

複雑だからこそ方法は一つじゃない

摩擦は複雑な現象で、私は「多因子に敏感なシステムの応答特性」だと考えています。その瞬間の摩擦は、例えば、その時の押し付ける力、潤滑剤、その日の温度・湿度、もちろん材料によっても変わるかもしれません。そのようないろいろな因子で影響を及ぼされていること、その複雑さは、180度違う視点から見れば様々な因子によって制御できるとも言えます。要するに変化のきっかけは一つだけではないのです。友だちというなじみに対しても、環境因子が当然あります。いろいろな場面での複雑さや困難さは、失敗したら終わりではなく、次の手を工夫できるということでもあります。友だち関係も、間違えたらそれっきりではなく、いろいろな作戦がありうるのではないでしょうか。

足立幸志（あだち・こうし）

1964年静岡県清水市（現静岡市）出身。東北大学大学院教授。工学研究科機械系にて超低摩擦発現のためのナノ界面制御や超摩擦の自己治癒システムの開発の研究に従事。2020年度に摩擦と摩耗の制御に立脚した高機能機械システムの創成の研究にて科学技術分野の文部科学大臣表彰 科学技術賞（研究）受賞。だるま落としや水玉迷路などを題材にした摩擦の存在と楽しさを身近に感じられる教材開発にも喜びを感じている。共著書に『はじめてのトライボロジー』（講談社）、『計測工学』（朝倉書店）がある。

14歳の世渡り術

友だち関係で悩んだときに役立つ本を紹介します。

2024年4月20日　初版印刷
2024年4月30日　初版発行

編　集　河出書房新社

著　者　金原ひとみ　大前粟生　隈研吾　金原瑞人　町屋良平　日比野コレコ
米光一成　篠原かをり　尹雄大　武田綾乃　三宅香帆　宇垣美里
清田隆之　飯間浩明　松村圭一郎　戸谷洋志　読書猿　渡辺祐真
足立幸志

編集協力　阿部花恵（P79-87）

イラスト　副島あすか
ブックデザイン　高木善彦（SLOW-LIGHT）

発行者　小野寺優
発行所　株式会社河出書房新社
〒151-0051　東京都渋谷区千駄ヶ谷2-32-2
電話　(03)3404-1201（営業）／(03)3404-8611（編集）
https://www.kawade.co.jp/

印　刷　TOPPAN株式会社
製　本　加藤製本株式会社

Printed in Japan
ISBN978-4-309-61763-3